Chères lectrices,

N'avez-vous jamais rêvé d'hériter d'un lointain parent — d'un oncle d'Amérique... — une petite maison de rêve, nichée dans la verdure ? A vous les promenades le long des chemins buissonniers, les pique-niques à l'ombre bienfaisante des grands arbres, les baignades dans l'eau fraîche et vivifiante des rivières... Cette vie bucolique ne vous fait-elle pas penser à des vacances éternelles ?

C'est ce que découvre Tabitha, une jeune Londonienne qui, grâce à un héritage inattendu, devient propriétaire d'une belle demeure dans la campagne française (*Héritière de l'amour*, de Lynne Graham, Azur n° 2606, premier volet de votre nouvelle trilogie « Secrets et passions »). Bien sûr, la maison est un peu à l'abandon et a besoin d'un sérieux coup de peinture, mais quel charme ! Et quel joli paysage !

Et puis, l'amour n'est-il pas également convié à ce délicieux rendez-vous ?

Excellente lecture !

La responsable de collection

D1359049

Le désir sur contrat

MELANIE MILBURNE

Le désir sur contrat

COLLECTION AZUR

*éditions*Harlequin

Cet ouvrage a été publié en langue anglaise
sous le titre :
THE GREEK'S CONVENIENT WIFE

Traduction française de
ANTOINE HESS

HARLEQUIN®

est une marque déposée du Groupe Harlequin
et Azur ® est une marque déposée d'Harlequin S.A.

Toute représentation ou reproduction, par quelque procédé que ce soit, constituerait
une contrefaçon sanctionnée par les articles 425 et suivants du Code pénal.
© 2005, Melanie Milburne. © 2006, Traduction française : Harlequin S.A.
83-85, boulevard Vincent-Auriol, 75013 PARIS — Tél. : 01 42 16 63 63
Service Lectrices — Tél. : 01 45 82 47 47
ISBN 2-280-20503-3 — ISSN 0993-4448

1.

Les yeux ronds, Maddison fixait son jeune frère de dix-neuf ans, se demandant si elle avait bien entendu.

— Tu as fait *quoi* ? Mais ce n'est pas possible ! Kyle, dis-moi que c'est une plaisanterie !

— Non, c'est vrai. Je l'ai coulé pour de bon. Son yacht est maintenant au fond de l'eau. Oh ! Il le méritait, tu sais…

— Mon Dieu, mais tu es complètement fou ! s'exclama-t-elle en se prenant la tête dans les mains. Est-ce que tu te rends compte, au moins, de la gravité de ton geste ?

— Et moi qui pensais que cela te ferait plaisir, grommela le jeune homme d'un ton détaché. Tu sais bien que ce despote est en partie responsable de la mort de papa. J'imaginais que tu serais satisfaite de cette petite revanche…

— Une *petite revanche* ? Mais Kyle, c'est de la démence pure et simple ! Tu coules un yacht qui vaut probablement un million de dollars, sinon plus, et tu m'annonces la nouvelle le sourire aux lèvres ! Te rends-tu vraiment compte de la folie d'un tel acte ?

— On ne saura pas qui a fait le coup, rétorqua Kyle, l'air buté.

— Oh, mais tu ne connais pas Demetrius Papasakis ! C'est un personnage redoutable.

7

— Mais il ne saura jamais que c'est moi qui ai fait le coup...

— Mais bien sûr que si ! Le recoupement sera facile à faire. Et n'oublie pas que tu as déjà un casier judiciaire ! Tu es bon pour la prison, mon pauvre Kyle !

— Oh non ! Je n'irai pas en prison. Jamais de la vie !

— Tu n'y couperas pas si nous restons sans rien faire, enfin si *je* reste sans rien faire, grommela-t-elle, angoissée. Comme si ton dernier délit n'avait pas suffi ! Voler une voiture !

— Je ne l'ai pas volée ! Je l'ai empruntée, et...

— Ne fais pas l'innocent ! Tu l'as volée, et tu le sais très bien. Et à présent, c'est moi qui dois rembourser tous les mois un dédommagement à son propriétaire. Mais quand vas-tu donc te décider à grandir ?

— Quand j'aurai de l'argent, je te rendrai ce que tu m'as avancé, murmura Kyle, soudain penaud. Je vais trouver un travail, et je te...

— Un travail ? Permets-moi de te rappeler que tu as déjà eu trois emplois, et que tu n'es jamais resté plus d'une semaine pour chacun. Non Kyle, cette fois, tu t'es mis dans un sacré pétrin, tu sais...

— Demetrius Papasakis nous a fait beaucoup de mal, l'interrompit son frère, le regard fixe. C'est à cause de lui que papa est mort, tu le sais bien. J'ai voulu faire justice.

Malheureusement, Maddison ne pouvait contredire son frère sur ce point : Demetrius Papasakis était un milliardaire sans scrupule. Il possédait une chaîne d'hôtels qui rapportaient énormément d'argent. Le père de Maddison et de Kyle avait été comptable pour ce groupe hôtelier de longues années, jusqu'au jour où on lui avait reproché d'avoir détourné des fonds. Malgré ses protestations, Demetrius Papasakis l'avait aussitôt renvoyé, ce qui avait rapidement ravagé M. Jones. Quelque temps après, il mourait d'une crise cardiaque.

— Ce n'était pas à toi de faire justice, gronda Maddison. Des gens comme Papasakis reçoivent leur châtiment un jour ou l'autre. Et c'était de la pure folie que de vouloir couler son yacht. Maintenant, il va vouloir se venger et, fais-lui confiance, il va se débrouiller pour trouver le coupable. Attends-toi au pire.

— Je n'ai pas peur de Papasakis, assura Kyle en relevant la tête d'un air de défi.

— Moi si. C'est un homme redoutable et sans pitié. Il peut t'écraser comme un insecte sans le moindre état d'âme.

— Qu'est-ce que je dois faire, alors ? demanda Kyle, brusquement moins fier.

— Il faut que tu te caches, déclara Maddison d'un ton sans réplique. J'ai une amie qui travaille chez des éleveurs, dans le Territoire du Nord. C'est au fin fond de l'Australie. Personne n'ira te chercher là-bas. Mon amie m'a dit que l'on avait besoin de jeunes gens solides pour des travaux manuels.

— Des travaux manuels ? grimaça Kyle d'un ton dégoûté.

— Ecoute-moi bien, Kyle. Tu n'as pas le choix. Si tu te fais pincer, tu iras directement en prison. Je t'offre le voyage en avion pour le Nord. Personne ne saura que tu es là-bas et tu te feras oublier un certain temps. C'est ta seule chance. Si tu ne veux rien entendre et continuer tes bêtises, libre à toi. Mais dans ce cas, ne compte plus sur moi pour continuer à t'aider.

Kyle demeura un moment indécis, tête baissée, bras croisés. Puis il sembla se décider.

— D'accord, soupira-t-il. Je partirai pour le Nord. Mais tu sais, ce n'est pas parce que j'ai peur. C'est juste pour te faire plaisir.

Sur le chemin qui la ramenait de l'aéroport où elle venait d'accompagner son frère, Maddison ne pouvait s'empêcher d'être inquiète ; les dernières frasques de Kyle étaient plus qu'une simple bêtise.

A peine venait-elle de rentrer chez elle que l'on sonnait à la porte.

Aussitôt, un instinct secret l'avertit que les ennuis allaient commencer.

Un homme très grand, de près d'un mètre quatre-vingt-dix, se tenait sur le seuil ; son visage était sévère, son regard noir. Il détailla Maddison d'une manière tellement insolente qu'elle faillit lui refermer la porte au nez.

— Mademoiselle Jones, je présume ?

La respiration coupée, elle répondit d'une voix anxieuse par un « oui » mal assuré.

— Monsieur Papasakis, que puis-je pour vous ? demanda-t-elle, paralysée par le personnage.

— J'aimerais parler à votre frère.

— Il n'est pas là pour le moment.

— Où se trouve-t-il ?

— Je ne sais pas.

— N'essayez pas de jouer à la plus maligne avec moi, mademoiselle Jones, répliqua-t-il d'une voix tranchante. Vous avez tout intérêt à vous montrer conciliante.

— Je suis désolée mais je ne peux rien pour vous.

Comme elle allait refermer la porte, Demetrius Papasakis franchit le seuil d'un mouvement vif et entra dans l'appartement d'un pas résolu. Puis il referma soigneusement la porte.

— Il est préférable que vos voisins n'entendent pas notre petite conversation, annonça-t-il, à la fois calme et menaçant.

— Veuillez quitter mon appartement, monsieur ! rétorqua-t-elle du ton le plus ferme qu'elle put.

Mais elle n'avait pas réussi à contrôler le tremblement de sa voix. Cette arrivée inopinée la déroutait au plus haut point et l'attitude du personnage, qui ne présageait rien de bon, lui fit froid dans le dos.

— Sortez ! lança-t-elle avec exaspération, puisant une force bien ridicule dans ce mouvement de colère.

— Dans ce cas, vous préférez sans doute que j'appelle la police au sujet de votre frère ?

Il sortit aussitôt son téléphone portable de son étui de ceinture et fit mine de composer un numéro.

— J'ai le numéro personnel de l'officier judiciaire qui a le dossier de votre frère. Voulez-vous que je lui explique où était ce dernier hier soir ?

— Il était ici même, avec moi ! répliqua-t-elle, paniquée.

Demetrius Papasakis haussa un sourcil.

— Et vous imaginez que je vais vous croire ?

— Vous croyez ce que vous voulez, grommela-t-elle avec dédain.

Le milliardaire grec appuya nonchalamment son dos contre le mur, près de la porte d'entrée, croisa les bras et marmonna sèchement :

— Je ne partirai pas d'ici avant que vous ne m'ayez dit où se trouve votre frère.

Les yeux bleu saphir de Maddison brûlèrent soudain d'une flamme furieuse.

— Vous pouvez toujours attendre, répliqua-t-elle froidement. J'espère que vous avez emporté votre brosse à dents avec vous, parce que cela risque d'être plutôt long.

— Vous êtes vraiment très drôle, mademoiselle Jones,

siffla-t-il entre ses dents. Vous envisageriez donc que je reste toute la soirée ici, avec vous ?

Il la toisait avec audace, un sourire narquois sur les lèvres.

— Et vous aimeriez sans doute aussi que je passe la nuit avec vous ? insista-t-il, railleur et séducteur.

Elle soutint fièrement son regard.

— Cela ne me plairait guère, vous n'êtes vraiment pas mon genre.

Lorsqu'il tendit la main pour saisir délicatement une mèche de ses cheveux blonds du bout des doigts, comme pour en évaluer le soyeux, elle tressaillit, désarçonnée.

— Vous avez de jolis cheveux, murmura-t-il d'une voix toute différente, presque nonchalante, comme s'ils venaient de se rencontrer dans une réunion mondaine. Vraiment très jolis…

Le regard de Demetrius Papasakis avait brusquement changé. Dans les yeux de prédateur qui scrutaient avec froideur la jeune femme jusque-là venait de s'allumer une petite flamme intense qui dansait gaiement. Mais ce regard de velours qui la caressait à présent semblait tout aussi dangereux.

Troublée par ce brusque changement d'attitude de la part de son visiteur, ainsi que par la fragrance d'une eau de toilette particulièrement envoûtante qui avait accompagné son geste, Maddison sentit son cœur battre un peu plus vite.

— Je vous le demande encore une fois, mademoiselle Jones, reprit-il d'un ton nettement plus courtois. S'il vous plaît, dites-moi où est votre frère.

— Il… il est parti, murmura-t-elle d'une voix enrouée.

— Parti ? Pour où ?

— Je ne sais pas. Loin, je crois.

— Et, bien sûr, vous n'avez même pas une vague idée de l'endroit où il se trouve ?

— Non, je suis désolée.

Demetrius Papasakis fronça les sourcils.

— Dois-je vous préciser qu'il est dans votre intérêt et dans celui de votre frère de me dire la vérité ? laissa-t-il tomber d'un ton qui ne présageait rien de bon. Devrais-je ajouter que vous pourriez le *regretter* ?

— Vous ne me faites pas peur…

— Vraiment ?

Elle croisa les bras, très irritée. Elle commençait à en avoir assez de ce personnage et de ses menaces.

— Maintenant monsieur Papasakis, veuillez quitter mon appartement, ordonna-t-elle sèchement. Allez, dehors !

Nullement affecté par le ton qu'elle venait d'employer, il eut un sourire presque amical.

— Oh ! Vous pourriez me dire cela plus gentiment, grommela-t-il doucement.

— Si vous ne partez pas, je vais crier !

— Merveilleux ! J'adore les femmes quand elles crient…

Maddison serra les poings rageusement. Si elle ne se retenait pas…

— Vous êtes odieux, vous êtes répugnant, vous…

— Et moi, je vous trouve absolument charmante, lui assura-t-il avec un sourire enjôleur. Mais vous vivez dangereusement, vous savez : vous cachez un criminel et cela peut vous mener… très loin…

— Mon frère n'est pas un criminel !

— Je me suis renseigné. A dix-neuf ans à peine, il a déjà un casier judiciaire disons *conséquent*. Encore un écart de sa part, et il se retrouvera en prison.

Maddison frissonna, brusquement épouvantée par l'image de son frère derrière des barreaux, dans une prison sinistre.

— Je possède des preuves qui suffisent à le faire condamner, reprit Demetrius Papasakis d'un ton posé.

— Je ne vous crois pas. Vous cherchez à m'intimider…

— On a vu votre frère sur mon yacht, hier soir.

— Et alors ?

— Alors mon bateau repose actuellement à trente mètres de fond dans la baie de Parsley. Il a été saboté.

— Et qu'est-ce qui prouve que mon frère est à l'origine de…

— Ceci, par exemple, la coupa-t-il en sortant de sa poche un pendentif en argent avec sa fine chaînette.

Maddison sentit son cœur s'arrêter en reconnaissant le cadeau qu'elle avait fait à Kyle pour ses dix-huit ans et qui se balançait à présent devant ses yeux comme une menace.

— Vous reconnaissez ce médaillon, mademoiselle Jones ?

— Non.

— Regardez bien les lettres gravées : KBJ. « K » pour Kyle, « J » pour Jones, et « B » pour je ne sais quoi, un deuxième prénom, peut-être…

Il s'interrompit soudain et reprit sur un ton presque amical :

— Mais j'y pense, je ne connais même pas votre prénom…

La jeune femme se sentit soudain très lasse. Lutter contre cet homme redoutable, sûr de lui et totalement à son aise allait très vite devenir épuisant… et impossible.

S'opposer à Papasakis ne la mènerait nulle part. Kyle avait fait une énorme bêtise et rien, maintenant, ne l'effacerait. Il fallait donc essayer d'éviter les retombées, qui pouvaient être

14

terribles. Tout dépendait de cet individu détestable qui avait, hélas, toutes les cartes en main.

— Maddison, avança-t-elle à contrecœur. Je m'appelle Maddison.

Demetrius était en train d'inspecter distraitement une étagère où étaient rangés une série de livres. Il avait penché la tête pour lire le titre d'un des ouvrages. Il se redressa et lui fit face en souriant.

— Maddison ? C'est joli, comme prénom.

Surprise, elle l'observa mieux. Toute trace d'arrogance semblait avoir disparu en lui, et la jeune femme découvrait un personnage différent de celui qui lui était apparu au début. Papasakis était un homme d'affaires très puissant, certes, immensément riche. Mais il ne donnait absolument pas l'impression de vouloir briller à tout prix, comme le font souvent les gens qui croulent sous les millions. Il y avait chez lui quelque chose de simple, de direct, presque d'ingénu. Cela se lisait sur son visage, un beau visage admirablement dessiné par la nature. D'ailleurs, il était admirable en tout : un beau visage, un corps athlétique, une taille largement au-dessus de la moyenne, un sourire à tomber par terre...

« Et une dureté de cœur qui a déclenché la mort de ton père », se reprit soudain Maddison dans un sursaut de lucidité.

Il lui faudrait faire appel à toute sa force et son courage pour protéger Kyle, plaider pour lui, faire tout ce qui était en son pouvoir pour lui éviter des poursuites et la prison, elle en avait peur...

Dans une atmosphère brusquement détendue, Demetrius Papasakis allait et venait dans le petit appartement, très à son aise. Il observait les meubles, les objets, s'arrêtait devant un livre posé sur une table, le faisait pivoter pour lire le titre, poursuivait sa promenade.

Le redoutable personnage venu exiger des explications avait fait place à un homme souriant, charmant. Et ce nouveau personnage impressionnait vivement Maddison.

Comme elle le regardait à la dérobée, il déclara de manière impromptue, d'une voix calme et engageante :

— Maddison Jones, je vous propose un marché.

Elle leva le regard vers lui, à la fois surprise et méfiante.

— Quel genre de marché ?

Il reposa le livre qu'il avait en main.

— Mon yacht valait un million et demi de dollars, commença-t-il paisiblement.

— Dieu du ciel ! s'exclama-t-elle, épouvantée.

Jamais elle ne pourrait rembourser une telle somme, même si elle devait s'endetter pour le restant de ses jours et travailler comme une damnée.

— Et en quoi cela me concerne-t-il ? poursuivit-elle, terrifiée, tandis que son cœur s'affolait dans sa poitrine.

— Dans la mesure où vous faites tout ce que vous pouvez pour protéger votre frère, et comme vous ne me donnez aucune indication qui me permette de le retrouver, c'est donc avec vous que je vais traiter.

— Ne vous fatiguez pas : je ne possède pas un million et demi de dollars. Même pas le millième. Il m'est donc impossible de vous rembourser, et dans…

— Nous nous placerons sur un plan tout autre que le plan financier, la coupa-t-il d'un ton grave. J'ai quelque chose à vous proposer…

Il la fixa droit dans les yeux, laissa passer deux interminables secondes, et compléta d'une voix aux inflexions charmeuses :

— … Maddison.

Il avait prononcé son prénom d'une manière si douce,

16

si langoureuse, qu'elle eut l'impression qu'il venait de la caresser...

Elle ferma les yeux, étourdie par un fantasme fulgurant, puis se ressaisit, leva le menton et répliqua sèchement :

— Qu'avez-vous à me proposer ?

— Une situation que n'importe quelle femme accepterait à bras ouverts, expliqua-t-il, énigmatique.

— Oui mais je ne suis pas « n'importe quelle femme », rétorqua-t-elle avec orgueil.

Il eut un bref sourire tout en levant un sourcil étonné, puis reprit un visage grave.

— Vous me surprenez, Maddison. Je pensais que, contrairement à votre frère et à votre père, vous étiez quelqu'un de sensé...

— Mon père était un homme tout à fait sensé ! lança-t-elle, piquée au vif. Et je vous interdis de parler de lui ainsi à la légère !

Demetrius Papasakis hocha tristement la tête.

— Je suis désolé de vous contrarier, ma chère Maddison, mais votre père... comment dirais-je... s'est laissé prendre dans une sale affaire.

— L'accusation portée contre lui était fausse ! s'écria-t-elle, les larmes aux yeux. Il a été victime d'une injustice éhontée !

— Malheureusement pour lui il n'a pas pu le prouver, marmonna l'homme d'affaires à mi-voix, avec une tonalité de regret. Je comprends que vous le défendiez, c'est humain. Il n'empêche que les faits sont là, et...

— Les faits restent encore à prouver, gronda-t-elle, révoltée.

— Quant à votre frère, mademoiselle Jones, il se trouve à présent dans une situation bien peu enviable. Il suffirait que je porte plainte contre lui pour le faire arrêter.

Maddison se mordilla nerveusement la lèvre, réfléchissant à la meilleure manière de protéger Kyle. Comme elle se préparait à plaider encore une fois en faveur de son frère, Demetrius Papasakis la devança :

— Je suis prêt à passer l'éponge sur la destruction de mon yacht à partir du moment où vous acceptez la proposition que je vais vous faire.

La jeune femme le fixa avec intensité, essayant de deviner ce que cachaient ces mots. Quelle était la proposition qu'il évoquait ? Où voulait-il en venir ?

— Je suis donc prêt à effacer l'ardoise de ce million et demi de dollars que votre frère m'a fait perdre. Mais j'ai besoin de votre... *coopération*. Tout dépend de vous.

— Je vous écoute, murmura-t-elle, le cœur battant.

— J'ai besoin d'une sorte d'alibi, commença-t-il d'une voix nonchalante. D'un rideau de fumée, si vous préférez.

— Un alibi ? Un rideau de fumée ? Je ne comprends pas.

— On a parfois besoin de donner de soi une image extérieure qui convienne aux autres. C'est mon cas aujourd'hui. J'ai besoin de donner le change. Je ne vais pas vous expliquer pourquoi, ce serait trop compliqué. En bref, il faut que je paraisse en public avec une maîtresse officielle à mon bras.

— Une *maîtresse officielle* ? répéta-t-elle lentement.

— Oui. Vous.

Maddison, sidérée par cette proposition surréaliste laissa échapper un petit rire méprisant qui exprima, mieux que des mots, ce qu'elle pensait à cet instant. Il se moquait d'elle ! Comment un séducteur aussi célèbre que lui pouvait-il avoir besoin d'une maîtresse officielle ?

Ils demeurèrent un moment sans rien dire, puis Demetrius reprit avec douceur tandis qu'il la fixait de son regard velouté :

— Que pensez-vous de ma proposition ?

18

Elle soutint son regard et répondit d'une voix narquoise :

— Vous attendez de moi une réponse polie ou mon sentiment réel ?

— Les deux.

— Veuillez m'excuser si je heurte votre fierté, mais je n'accepterai jamais d'être votre maîtresse.

— Et ma femme ?

— Votre *femme* ? reprit-elle, les yeux écarquillés.

Elle secoua lentement la tête avec un sourire amer.

— C'est aussi hors de question, murmura-t-elle.

— Supposons que vous n'ayez pas le choix…

Elle le considéra d'un regard glacial.

— On a toujours le choix pour ce genre de choses.

— Supposons que votre vie en dépende, insista-t-il, obstiné. Ou plus exactement, imaginons que la vie de votre frère en dépende.

— Pourriez-vous être plus clair, je vous prie ?

— Oh, c'est très clair. Voici la situation : il suffit que je prenne mon téléphone et que j'appelle la personne qui s'occupe du dossier de votre frère auprès du tribunal. Si je porte plainte, toutes les polices de ce pays recevront dans l'heure la fiche de Kyle Jones, et il aura beau être caché au fin fond de la brousse, il sera rapidement arrêté et jeté en prison. Il sera facile de prouver sa culpabilité dans la destruction de mon yacht. Et il sera condamné…

— Mon Dieu…, murmura-t-elle d'une voix à peine audible.

Elle savait qu'il ne bluffait pas.

— Vous imaginez votre frère dans une cellule de deux mètres sur trois, en compagnie de brutes, de truands ou de pervers ?

Quelques minutes s'écoulèrent dans le silence le plus total.

Maddison fixait le tapis de son appartement, atterrée. Elle avait beau retourner la situation dans tous les sens, ses chances de sauver Kyle ne passaient que par un seul choix...

Elle poussa un soupir accablé.

— Alors, articula-t-elle d'une voix tremblante, il faudrait que je fasse semblant d'être votre femme ?

— Non, pas semblant. Il s'agit tout simplement de devenir officiellement ma femme.

Elle le dévisagea cette fois avec angoisse.

— Pour ce... pour cet *alibi* que vous évoquiez ?

— Exactement, confirma-t-il avec un grand sourire.

Même dans ses cauchemars les plus terribles, Maddison n'avait jamais eu à affronter une telle situation : elle n'avait qu'une seule issue, et cette issue débouchait sur un enfer. Totalement désemparée, elle secoua encore la tête, se tordit les mains avec nervosité, puis répondit d'une voix mal assurée :

— Il faut que... que je réfléchisse. Je ne peux pas vous donner de réponse sans un délai de réflexion...

— Je vous donne une semaine.

— Une semaine ! Vous vous moquez de moi ?

— C'est suffisant. Mais soyez rassurée, Maddison, il ne s'agit pas d'un mariage réel. Vous m'avez bien compris ? Notre mariage ne durera qu'un temps.

— Nous pourrons ensuite divorcer ? questionna-t-elle avec anxiété.

— C'est évident. Comme je vous le disais, notre mariage ne constituera qu'un alibi passager. J'ai actuellement besoin de cela pour mon image sociale. C'est idiot, mais c'est ainsi. Après quelques mois, vous retrouverez votre liberté. Et nous serons quittes.

— Il s'agira donc d'un mariage de façade, n'est-ce pas ? insista-t-elle néanmoins. Pas d'une union véritable ?

— Absolument.

— Pourrai-je alors avoir votre parole que vous ne… Enfin que vous n'abuserez pas de ce statut matrimonial pour…

— Rassurez-vous ! la coupa-t-il avec un rire amusé. Je n'ai nullement l'intention de vous sauter dessus ! Vous pourrez dormir tranquille, dans votre chambre. J'ai déjà tout ce qu'il faut ailleurs.

— *Tout ce qu'il faut ?* répéta-t-elle d'un ton à la fois railleur et méprisant. C'est élégant !

Quelle jolie formule pour désigner ses maîtresses ! Cet homme était bel et bien un… un odieux personnage. Mais elle était bien obligée de passer par cette comédie qu'il lui imposait pour protéger Kyle.

Elle n'avait vraiment pas le choix.

— Je vous explique en bref notre arrangement, résuma-t-il d'un ton déterminé. Il faudra que vous et moi donnions, à l'extérieur, l'image d'un couple uni et heureux.

— Et pendant combien de temps ?

— Oh, pas plus de six mois, assura-t-il avec une paisible bonhomie. Pas plus, car vous risqueriez de vous attacher à votre nouveau rôle.

Maddison serra les dents et le fusilla du regard. Quelle insolence !

— Parce que vous imaginez que je pourrais prendre un quelconque plaisir à ce vaudeville grotesque ?

— On ne sait jamais, on ne sait jamais ! ironisa-t-il avec un petit rire moqueur.

Il sortit une carte de visite de sa poche et la lui tendit.

— Je veux votre réponse dans une semaine, Maddison. Pas plus.

Comme il s'apprêtait à sortir, il se retourna et lança d'un ton allègre :

— Vous savez, notre petit arrangement peut très bien se révéler tout à fait plaisant. Mais oui, tout à fait plaisant ! Je vous salue bien, mademoiselle Maddison Jones.

2.

La semaine passa très rapidement pour Maddison. Bien trop rapidement. Elle allait devoir donner sa réponse et, à mesure que ce moment dramatique approchait, elle sentait l'angoisse la gagner.

Son attente lui faisait penser à celle des condamnés qui voient arriver le moment de leur exécution dans les couloirs de la mort des prisons américaines.

Chaque jour, chaque heure, chaque minute constituaient pour elle un sursis mais dont elle ne pouvait, hélas, pas profiter pleinement.

Elle se rendait à son travail le cœur serré, l'esprit tourmenté. Pourtant la librairie de livres anciens où elle travaillait, ce lieu magique qu'elle aimait, aurait dû la réconforter. Mais rien n'y faisait. La proposition de Demetrius Papasakis déclenchait en elle des paniques effroyables.

En arrivant à la librairie ce matin-là, elle eut un choc en voyant le visage défait de son patron, Hugo McGill.

— J'ai une mauvaise nouvelle pour toi, ma pauvre Maddison, annonça-t-il d'emblée. Je suis obligé de vendre.

— De vendre la librairie ? articula-t-elle, consternée.

— Oui. Les affaires marchent mal, comme tu le sais. Et l'on vient de me proposer un bon prix. J'ai accepté.

Hugo leva vers elle ses yeux voilés par le souci et ajouta d'une voix étranglée :

— Je suis désolé, Maddison, à la fois pour moi et pour toi.

— J'imagine que la personne qui va reprendre le magasin va continuer dans le même secteur ?

— Hélas non, soupira Hugo. Le repreneur a racheté toutes les autres boutiques du coin. Il va tout raser pour construire un grand hôtel de luxe.

Une colère soudaine envahit Maddison. Non ! Cela ne pouvait pas être...

— Et qui est ce repreneur ? lança-t-elle d'un ton bref, connaissant déjà la réponse.

— Le milliardaire grec qui possède une chaîne d'hôtels, tu sais, Demetrius Papasakis. Tu vois qui c'est ?

— Non, non, je ne vois pas, répondit-elle du ton le plus dégagé possible.

— Les journaux ont beaucoup parlé de lui ces jours derniers. Figure-toi que son yacht a été saboté.

— Tiens donc ! fit-elle d'un ton distrait en ravalant sa fureur.

Ce Papasakis était un monstre de la plus vile espèce ! ragea-t-elle en saisissant au hasard des livres pour les ranger ailleurs. Il s'était renseigné sur elle et avait racheté le magasin où elle travaillait afin de la pousser à accepter sa proposition.

Tous les moyens étaient bons à ce milliardaire sans scrupule. Après son père, il s'en prenait à elle !

Etait-ce un jeu pour lui ?

*
* *

24

Un peu plus tard dans la journée, Maddison jeta un coup d'œil à sa montre. Il lui restait six heures pour donner sa réponse à Papasakis.

Le compte à rebours devenait de plus en plus oppressant.

A 16 h 30, elle quitta la librairie, le cœur lourd, l'esprit inquiet, sachant qu'elle allait devoir quitter ce travail qui lui avait donné tant de satisfactions.

Elle sortit de son sac la carte de visite que lui avait donnée Demetrius Papasakis et se dirigea vers une cabine téléphonique. Elle était en panne. Elle se mit à la recherche d'une autre cabine. Et là, le câble du téléphone avait été arraché.

— Puisque c'est ainsi, je vais aller directement à son bureau ! grommela-t-elle, énervée et tendue.

Comme cela, elle allait pouvoir lui dire en face ce qu'elle pensait de lui.

Le bureau de Demetrius Papasakis était situé pas très loin. Elle le trouva rapidement, entra dans un hall somptueux, et demanda à l'hôtesse d'accueil où était l'étage de la direction. Quelques secondes plus tard, elle se présentait à une nouvelle secrétaire.

— Je voudrais voir M. Papasakis, expliqua-t-elle de la voix la plus assurée possible.

— Avez-vous rendez-vous ?

— Non. Enfin, oui, d'une certaine manière.

Lorsqu'elle donna son nom, la secrétaire décrocha son téléphone et murmura d'un ton feutré :

— Mlle Jones est ici. Dois-je…

Elle s'interrompit, puis répondit sur le même ton :

— Bien, monsieur.

Puis elle conduisit Maddison jusqu'à une belle porte de chêne. Elle frappa, ouvrit délicatement la porte et s'effaça pour laisser passer Maddison. Puis elle s'éclipsa, tout aussi discrètement, et Maddison eut l'impression que l'on venait de l'introduire dans la cage aux fauves.

Demetrius Papasakis était assis derrière un grand bureau et contempla un instant la jeune femme avec un certain étonnement.

— C'est bien d'être venue directement, lança-t-il soudain d'une voix enjouée en se levant à sa rencontre. Et vous êtes à l'heure !

Comme il proposait d'un geste un fauteuil, Maddison lui signifia qu'elle préférait rester debout.

— Comme vous voudrez, murmura-t-il avec un sourire indulgent.

Il s'assit nonchalamment derrière son bureau et considéra sa visiteuse d'un œil bienveillant. Il appréciait beaucoup cette manière qu'elle avait de se tenir devant lui, dans toute sa dignité, alors qu'il devinait un grand émoi en elle.

Elle ne manquait pas de cran, cette Maddison Jones.

— Mais asseyez-vous donc ! insista-t-il d'un ton engageant.

— Non merci. Je préfère rester debout.

— Alors ? Avez-vous réfléchi à ma proposition ?

— Vous appelez cela une *proposition* ? Moi je considère qu'il s'agit d'un chantage pur et simple.

— Un chantage ? Comme vous êtes sévère ! Permettez-moi de vous assurer que vous êtes libre de quitter ce bureau à l'instant, si tel est votre souhait.

— Bien sûr, mais si je m'en vais, il me faudra en payer les conséquences. Très cher ! Et quand on n'a plus de travail, on n'a plus les moyens de payer.

— Ah, vous faites sans doute allusion à cette petite opération immobilière que je viens d'effectuer.

26

— Vous m'avez prise en traître ! gronda-t-elle. Vous êtes méprisable !

Il la considéra un moment sans répondre, d'un regard où dansait une flamme amusée, puis proclama avec un soupir :

— Bien. Allons droit au but. D'après ce que vous m'exprimez de manière si… *aimable*, j'imagine que votre réponse est « non » ?

La jeune femme lui faisait face, serrant et desserrant ses poings dans un effort évident pour se maîtriser.

— Je vais vous dire quelque chose, monsieur Papasakis, articula-t-elle d'une voix tremblante de colère. Et écoutez-moi bien, parce que plus tard, vous vous souviendrez de mes paroles. J'ai décidé de vous épouser. Uniquement parce que je n'ai pas le choix. Mais soyez certain d'une chose, monsieur Papasakis : vous regretterez toute votre vie ce mariage absurde. Et je ferai tout pour que vous vous en mordiez les doigts !

Elle s'interrompit, frémissante de rage.

Il la considérait toujours d'un œil amusé, comme s'il assistait à un spectacle des plus divertissants.

— Vous me feriez presque peur avec vos menaces, murmura-t-il, un sourire ironique au coin des lèvres.

— Oh, vous pouvez vous moquer ! Je ne plaisante pas, monsieur Papasakis !

— J'adore quand vous vous emportez ainsi, marmonna-t-il, les yeux brillants. Vous me plaisez infiniment, mademoiselle Jones. Cette *excitation* qui est la vôtre est absolument délicieuse.

— Je ne suis pas excitée, je suis en colère ! s'écria Maddison, hors d'elle. Et une colère des plus légitimes !

Demetrius se leva brusquement dans un mouvement souple et marcha vers elle à grands pas.

— Allons, Maddison. Soyez bonne joueuse. Sachez qu'il

y a de très nombreuses femmes qui vont envier votre statut. Vous épousez un homme extrêmement riche, qui vous offrira tout ce dont vous rêvez. Vous pourrez vous acheter tous les vêtements que vous voulez, vous disposerez de voitures de luxe… Que pourriez-vous souhaiter de plus ?

— Si vous croyez que c'est cela que j'attends d'un mari, vous vous trompez complètement. Vous n'aurez de moi que du mépris. Est-ce clair ?

Le regard de Demetrius Papasakis se voila un instant et il considéra la jeune femme en silence.

— Mademoiselle Jones, je n'accepterai pas la moindre insulte de votre part, ni le moindre faux pas durant la période que durera notre mariage, laissa-t-il tomber d'un ton autoritaire, habitué à commander. Est-ce clair ? Si vous choisissez quand même de me traiter de tous les noms et m'agonir d'injures c'est votre droit, mais sachez que cela compromettra sensiblement notre accord, et vous pourrez alors être certaine que votre frère sera jeté en prison.

— C'est vous que je souhaiterais voir en prison ! rétorqua-t-elle rageusement. Si vous saviez comme cela me ferait plaisir !

Nullement affecté par la dureté de ses propos, il s'était rapproché tout près d'elle, l'enveloppant de l'arôme envoûtant de son parfum de toilette.

— Vous ne souhaitez pas réellement voir votre frère en prison ? murmura-t-il à son oreille avec une tonalité enjôleuse.

Comme elle demeurait obstinément muette, il effleura délicatement ses cheveux.

— Vous ne répondez pas ? insista-t-il à mi-voix, tandis que son visage s'approchait encore du sien.

— Je ne veux pas que mon frère aille en prison, murmura-t-elle faiblement, les larmes aux yeux.

— Et… le reste ?

— Je… j'accepte de devenir temporairement votre femme, articula-t-elle, déchirée.

— Alors c'est parfait ! J'étais sûr que vous accepteriez, Maddison.

Comme elle baissait la tête, écrasée par la décision qu'elle venait de prendre, il releva doucement son menton et la fixa de manière si intense qu'elle se sentit brusquement paralysée.

Dans un mouvement très doux et très naturel, il posa ses lèvres sur les siennes, sans qu'elle ait eu le temps de réagir. Elle sentit le contact suave et tiède de cette bouche sur la sienne, et, l'espace de quelques secondes, il lui sembla être ailleurs.

Mais cela ne dura guère, car il se détacha d'elle et annonça sur un ton presque administratif qui tranchait étonnamment sur l'instant romantique qu'ils venaient de vivre :

— Je vous contacterai d'ici peu pour tous les détails et les papiers à signer, mademoiselle Jones.

Puis il retourna s'asseoir derrière son bureau, redevenant soudain l'homme d'affaires précis et organisé. Il posa nonchalamment un coude sur son bureau et s'appuya sur sa main droite, considérant la jeune femme avec une attention rêveuse.

— Il faudra tout de même une petite cérémonie, non ? Souhaiteriez-vous inviter des personnes en particulier ?

— Avec plaisir ! Des tireurs d'élite.

— Très drôle, répondit-il, glacial.

Il la considéra durement et reprit d'un ton menaçant :

— Faites bien attention, Maddison. Maintenant que vous allez devenir ma femme, vous êtes censée être follement amoureuse de moi. Je ne vous demande pas de vous pâmer devant moi à chaque instant, mais j'exige que vous donniez pour l'extérieur l'image d'une femme amoureuse.

— Vous savez, je n'ai jamais été très douée pour jouer la

comédie. J'ai beaucoup de mal à imaginer être amoureuse de vous. Voyez-vous, monsieur Papasakis, vous représentez exactement ce que je déteste le plus chez les hommes.

Il eut un rire léger, tout à fait indifférent à la remarque.

— Tout ce que je vous demande, c'est de faire semblant, dit-il d'un ton persuasif. Ce n'est pas le bout du monde, Maddison.

— Je ne sais pas si je pourrai être assez bonne comédienne…

— Mais si ! Vous verrez, à la longue, vous jouerez parfaitement le personnage de l'épouse comblée, j'en suis sûr.

Demetrius Papasakis fronça les sourcils et reprit d'un ton plus sévère :

— J'espère bien que nous sommes d'accord. Vous connaissez l'enjeu, n'est-ce pas ?

— Je suppose que cette *menace* sera suspendue au-dessus de ma tête pendant tout le temps de notre *prétendu* mariage ?

— Absolument. Ce sera pour moi une sorte d'assurance tous risques. Votre frère ne sera pas inquiété tant que vous vous comporterez, en public tout au moins, comme une bonne épouse.

— Aurai-je au moins le droit de parler à mon frère s'il me contacte ?

— Mais bien évidemment. D'ailleurs, je pense qu'il ne manquera pas de vous faire signe lorsqu'il découvrira notre mariage dans la presse.

— Et comment vais-je lui expliquer ce mariage si soudain ?

— Vous trouverez bien une explication. Les femmes s'entendent très bien à ce genre d'exercice.

Maddison le fixa avec attention. Elle avait entendu dans le ton de son futur mari quelque chose de blessé, comme l'écho d'une ancienne souffrance. En fait, elle ne connaissait rien de lui, de son passé. A trente-quatre ans, avait-il déjà vécu un véritable amour, plus fort que les nombreuses liaisons éphémères qu'il avait pu avoir ? C'était le mystère le plus complet. « D'ailleurs, se dit-elle, cela ne me regarde pas. »

— Faudra-t-il que je porte une robe blanche pour le mariage ? demanda-t-elle, soucieuse.

— Seriez-vous contre ?

— Non. Cela m'est égal. Je m'étonne simplement du soin que vous semblez apporter à ce mariage qui n'est, en définitive, qu'un artifice.

Il eut un sourire énigmatique.

— Vous savez, nous autres, Grecs, sommes très attachés aux traditions concernant le mariage, à la fête… et même à la virginité de l'épouse !

Comme Maddison sentait ses joues s'empourprer, il reprit sur un ton rassurant :

— Je ne suis pas assez stupide pour exiger la virginité de ma future épouse. Vous avez vingt-quatre ans, et à cet âge, on est rarement vierge. Je me trompe ?

— Oui, oui… Non, non, balbutia-t-elle, les joues en feu.

Elle venait de mentir, mais cela n'avait aucune importance. Elle pouvait raconter n'importe quoi à un futur mari qui n'en était pas un.

Il se leva d'un mouvement vif, mettant un point final à l'entrevue, et la raccompagna jusqu'à la porte.

— Alors, nous sommes bien d'accord ? lança-t-il avec fermeté.

— Oui, murmura-t-elle, le front plissé.

— Evitez les faux pas, n'oubliez pas que je vous surveille discrètement.

— Oh, je le sais bien, marmonna-t-elle, amère.

Puis elle sortit d'un pas vif, l'esprit tourmenté.

Comme elle traversait le couloir qui menait au bureau de Papasakis, un violent parfum l'agressa. Puis une femme se leva d'un bond à son approche, ce qui augmenta encore l'intensité des effluves dans le couloir.

— Demetrius est-il dans son bureau ? lança la jeune femme de manière abrupte, avec une voix haut perchée.

Maddison l'observa un instant sans répondre, surprise par l'accoutrement outrancier de la visiteuse : une coiffure comme un gâteau d'anniversaire et des talons comme des pics à glace.

— Oui, il est là, répondit-elle d'un ton railleur. Mais je ne sais pas s'il lui reste encore quelques forces. Vous savez… il est tellement fougueux quand il est amoureux…

La jeune femme la dévisagea un instant, les yeux agrandis par la stupeur, puis elle bredouilla d'un ton furieux :

— C'est avec vous que… qu'il…

— Oui ! C'est *avec moi qu'il*, confirma Maddison, le sourire aux lèvres. Oh, ne lui en veuillez pas trop : il est tellement heureux de se marier qu'il… qu'il se laisse un peu aller. C'est bien compréhensible, non ?

Le sol de marbre du couloir résonna d'un clic-clac précipité tandis que Maddison, ravie, souriait pour la première fois de la journée, du sourire un peu cruel d'un chat qui venait de prendre une souris au piège.

Le mercredi suivant, on vint déposer dans la boîte aux lettres de Maddison les documents nécessaires au mariage, sans que la date ne fût précisée. Demetrius Papasakis y avait joint une carte de crédit au nom de Maddison.

Déterminée à ne pas entrer dans le rôle d'une femme entretenue, Maddison renvoya immédiatement la carte de crédit à son expéditeur sans un mot d'explication.

Pourtant elle ne roulait pas sur l'or, loin de là. Elle avait dû payer intégralement le billet d'avion pour Kyle, et le salaire minime qu'elle avait gagné en travaillant à la librairie ne lui avait pas permis de faire des économies.

La situation dans laquelle elle se trouvait la fit sourire tristement : une jeune femme pauvre allait épouser un des hommes les plus riches du pays ! Cela avait tout des contes de fées de son enfance.

Néanmoins, il n'était pas question pour elle d'utiliser un seul dollar provenant de Papasakis.

Le soir même, le milliardaire grec vint sonner à sa porte. Lorsqu'elle lui ouvrit, il lui lança aussitôt d'une voix enjouée :

— Bonsoir, Maddison. Je ne vous dérange pas ?

Sans répondre, elle s'écarta pour le laisser passer.

— Alors, vous n'avez pas de rendez-vous galant, ce soir ? railla-t-elle sur un ton caustique.

— Après ce que vous avez dit à Elena Tsoulis, mes rendez-vous sont passablement compromis…

— Ah, la jeune femme qui se noie dans le parfum ! Elle s'appelle Elena ! Je vous souhaite bien du plaisir avec elle…

— Oublions cela, grommela-t-il, agacé.

— En fait, vous tombez bien, poursuivit Maddison d'un ton plus sérieux. Je me demandais ce que j'allais faire de mon appartement.

— Déménager. Vous allez venir habiter chez moi.

— Mais vous plaisantez !

Il haussa les sourcils, étonné.

— Mais nous allons être mariés, permettez-moi de vous

le rappeler. Et les gens qui se marient ont coutume de vivre ensemble, non ?

Elle se mordilla la lèvre, perplexe, et s'enquit d'un ton soucieux :

— Où vivez-vous ?

— Dans le Papasakis Park View Tower.

— Vous vivez à l'hôtel ! s'exclama-t-elle, sidérée.

— Oui. Pourquoi pas ?

— Je pensais que vous habitiez dans un château ou dans une immense maison au milieu d'un parc...

— Il est très agréable de vivre dans un hôtel, vous savez. Surtout lorsque l'établissement vous appartient. Et puis je voyage beaucoup...

— Ah ? Vous voyagez beaucoup ? répéta-t-elle, agréablement surprise.

Sa vie serait sans doute plus supportable avec un mari en voyage. Les absences de Demetrius lui apparaissaient soudain comme une lueur d'espoir à l'horizon.

Comme s'il avait deviné sa pensée, il marmonna d'un ton menaçant :

— Ce n'est pas parce que je serai à l'étranger que vous serez libre de faire n'importe quoi.

— N'importe quoi ! s'écria-t-elle, agacée. Mais pour qui me prenez-vous ?

— Et puis vous pourrez m'accompagner dans certains de mes déplacements, enchaîna-t-il, pensif, sans tenir compte de son indignation.

— Oh, quel bonheur ce serait ! railla-t-elle avec une grimace. J'en rêvais depuis toujours, figurez-vous.

— Mais il y a beaucoup de femmes qui seraient enchantées de découvrir des régions, des pays, des capitales en ma compagnie...

— Pas moi.

— Et pourquoi ? grommela-t-il, les sourcils froncés.

— Parce que je préfère choisir mes compagnons de voyage.

— Vous trouverez peu d'hommes qui, comme moi, sont prêts à effacer l'offense qu'on leur a faite. N'importe qui aurait exigé le remboursement intégral du yacht ! C'est incroyable à quel point vous pouvez vous montrer désagréable avec moi…, ajouta-t-il, désappointé.

— Vous n'espérez tout de même pas que je vous saute au cou après cet odieux chantage au mariage ?

— Non, mais j'aurais aimé un peu plus de *reconnaissance*. Enfin, Maddison, soyez objective : il me suffit d'un bref appel téléphonique pour expédier votre frère en prison. Je suis prêt à tout oublier en échange d'un simple mariage pour une durée limitée. Ce n'est pas le bout du monde !

Maddison croisa les bras et fronça les sourcils.

— Que voulez-vous de moi, au juste, en dehors de ma signature sur un registre officiel ?

— Mais je vous l'ai déjà précisé, Maddison. Je veux simplement que vous fassiez semblant, pendant quelques mois, d'être une épouse comblée et une femme amoureuse. Vous savez bien que c'est cela, notre marché. Nous y trouvons notre compte, vous et moi. Ce n'est pas bien compliqué.

— Il ne me sera pas très facile de me comporter comme une épouse qui nage dans le bonheur.

Une braise noire brilla soudain dans le regard de Demetrius.

— Si vous ne vous en sentez pas capable, on laisse tout tomber, gronda-t-il. Et dans trois jours, votre frère sera derrière les barreaux.

Maddison frissonna, glacée à la perspective de son frère enfermé dans une prison sinistre.

— Pourquoi est-ce *moi* que vous voulez épouser, dans cet arrangement surréaliste ? interrogea-t-elle brusquement. Vous devez connaître un nombre incalculable de femmes prêtes à vous suivre dans cette aventure si romantique. Moi, je n'ai absolument rien à vous offrir.

— Au contraire, vous avez tout à m'offrir, Maddison. Le seul fait de votre générosité à l'égard de votre frère, ce *sacrifice* que vous faites pour le sauver, en dit long sur vous. Non seulement vous êtes une femme généreuse, mais…

Il s'interrompit, l'air pensif.

— Mais quoi ? marmonna-t-elle avec impatience.

— Mais vous avez également d'autres qualités, ajouta-t-il d'une voix brève et neutre. Et, en tous les cas, vous constituez pour moi l'alibi parfait pour mon plan. Je vous l'ai expliqué dès le premier jour.

Maddison n'avait toujours pas très bien compris cette notion d'« alibi » invoquée par Papasakis. Alibi de quoi ? Pour qui ? Pourquoi et en quoi un simple mariage pouvait-il aider ce richissime homme d'affaires ?

Elle aurait pu insister, exiger des explications. Mais ce qui importait, avant tout, c'était de sauver Kyle et de le sortir du bourbier où il avait sauté à pieds joints.

— Vers quelle date envisageriez-vous ce mariage d'opérette ? demanda-t-elle en levant le menton de manière dédaigneuse.

— Nous nous marierons la semaine prochaine.

— Quoi ? Si tôt ? s'écria-t-elle, brusquement paniquée.

— Oui, la semaine prochaine me paraît parfait, répéta-t-il avec le ton qu'il aurait employé pour envisager un pique-nique au bord d'une rivière.

36

Comme Maddison ne réagissait pas, il précisa d'une voix tranquille :

— Un mariage aussi rapide va surprendre la presse et détourner son attention de sujets que je ne souhaite pas la voir aborder.

« Quels sujets ? », eut-elle envie de demander. Mais elle se doutait bien qu'elle n'aurait aucune réponse concrète.

« L'alibi » demeurait bien mystérieux.

— Cela ne va pas être simple d'organiser un mariage en moins d'une semaine, assura-t-elle, déconcertée.

Il afficha un large sourire, plein de confiance.

— J'ai fait en sorte que tout soit prêt. Je suis un homme efficace, vous savez.

— Je n'en doute pas, marmonna-t-elle. *Redoutablement* efficace.

— J'ai pensé qu'il serait opportun de faire des apparitions publiques ensemble, vous et moi, reprit-il d'un ton réjoui. Il faut absolument que l'on nous voie ensemble. J'ai prévu quelques sorties pour cette semaine.

— Oh ! Quel dommage ! Cette semaine, j'ai justement des engagements. Je ne peux pas, répliqua-t-elle sèchement.

— Annulez tout.

— Mais il n'en est pas question ! Vous croyez donc que…

— Ecoutez-moi bien, Maddison. Je n'ai aucunement l'intention de vous empoisonner la vie, mais il est indispensable de vous libérer. Nous devons absolument nous montrer au grand jour avant notre mariage au cours de réceptions amicales ou officielles. Me suis-je bien fait comprendre ?

— Oh, parfaitement…

Il fouilla dans sa poche pour prendre son trousseau de clés.

— Je passerai vous chercher demain soir, à 19 heures. Je compte sur vous pour que vous soyez prête à cette heure.

— Comment devrai-je m'habiller ?

— Mais comme vous le voulez, Maddison.

Au moment de passer la porte, il se retourna et ajouta en souriant :

— Surprenez-moi. J'aime bien les surprises !

Lorsqu'il eut disparu, les lèvres de Maddison se plissèrent en un sourire vengeur.

— Il aime les surprises ? murmura-t-elle pour elle-même. Bien. Il ne va pas être déçu…

3.

Le téléphone sonna juste au moment où Maddison était en train de fouiller dans son placard à vêtements.

Elle reposa la paire de bas résille d'un rouge vif, des bas on ne peut plus provocateurs qu'elle avait portés plusieurs années auparavant pour un bal costumé.

— Quelle surprise ! s'exclama-t-elle joyeusement en reconnaissant la voix de son frère. Comme je suis heureuse de t'entendre ! Comment vas-tu ?

— Oh, ça peut aller… J'ai des coups de soleil, des courbatures, mais je vais très bien ! Le travail est dur, mais cela me plaît beaucoup.

Maddison n'en croyait pas ses oreilles. D'habitude, les travaux que l'on proposait à son frère ne duraient pas plus de deux ou trois jours. C'était la première fois qu'elle ne l'entendait pas pester contre son travail.

— J'essaye de mettre de l'argent de côté, ajouta-t-il d'une voix fière.

— Tu m'épates, mon frère ! Je ne te reconnais plus !

Emue, elle l'entendit rire à l'autre bout du fil. Kyle était-il en train de devenir raisonnable ? Elle n'osait l'espérer.

— J'ai quelque chose à te dire, à propos de Demetrius Papasakis.

— Qu'est-ce qu'il veut encore, celui-là ? grogna Kyle d'un ton haineux.

— Il sait que c'est toi qui as coulé son yacht.

Un silence de plusieurs secondes se fit sur la ligne.

— Sait-il où je me trouve actuellement ?

— Non, et à vrai dire, il s'en moque. Il a bien autre chose en tête.

— Tu veux dire qu'il ne va pas engager de poursuites contre moi ? s'étonna Kyle.

— Pas si le plan qu'il a imaginé fonctionne.

— Et c'est quoi, ce plan ?

— Il accepte de passer l'éponge sur le sabotage du yacht si j'accepte sa demande.

— Et il te demande quoi ?

— Il veut que je l'épouse.

— Que tu l'épouses ! glapit Kyle, hors de lui. Mais c'est de la folie ! Où va-t-il chercher des idées pareilles ? Il est malade, ce type !

Maddison ne put s'empêcher de sourire, amusée.

— Enfin, Kyle, je ne suis pas si repoussante que cela.

— Ce n'est pas ce que je… ce que je voulais dire, balbutia son frère, embarrassé. Papasakis n'est pas le genre d'homme qui se marie, c'est un don Juan sans foi ni loi !

— Il se trouve qu'il a besoin d'un alibi, expliqua-t-elle à mi-voix. Quelque chose qui l'aiderait à dissimuler son vrai visage pendant quelques mois, si j'ai bien compris.

— C'est machiavélique ! gronda Kyle.

— Il exige de moi que je joue le rôle de l'épouse radieuse et comblée. En échange de quoi il te laisse la liberté.

— Et tu es d'accord ?

— Ai-je vraiment le choix ? murmura doucement Maddison.

Une nouvelle fois, le frère et la sœur restèrent silencieux quelques secondes. Maddison imaginait sans peine la tempête qui devait agiter les pensées de Kyle à cet instant précis.

— Je suis… je ne sais pas quoi dire, bredouilla-t-il enfin d'une voix brisée. Je… je suis désolé, Maddy.

Elle l'entendit ravaler ses larmes, mais il reprit aussitôt avec énergie :

— Je vais travailler dur, je te le promets. Et lorsque j'aurai assez d'argent, nous pourrons fuir, toi et moi, très loin, à l'étranger…

— Mais tu rêves, mon pauvre Kyle ! Papasakis saura te retrouver où que tu sois, même aux antipodes ! Il est inutile et absurde de fuir. Laisse-moi faire : je vais me battre bec et ongles, et c'est moi qui aurai le dernier mot, tu verras.

— Tu es fantastique, lui assura Kyle, admiratif. Tu sais que tu es fantastique ?

— Oh, tu n'as encore rien vu, mon frère, marmonna-t-elle, fière cependant des paroles de Kyle. Tu vas voir ce que tu vas voir…

Après avoir fait promettre à son frère de ne pas faire de nouvelles bêtises, elle raccrocha, le sourire aux lèvres.

Quelques instants plus tard, elle se planta devant le miroir en pied de son placard.

— Impressionnant ! murmura-t-elle, épatée par son accoutrement.

Des bas résille rouges sous une jupe de cuir noir ultra-courte, un bustier provocateur, et un maquillage outrancier, avec d'énormes faux cils et du mascara tartiné au pinceau tout autour des yeux : voilà tout ce que méritait Papasakis.

*
* *

41

Lorsque Demetrius Papasakis vint la chercher, une demi-heure plus tard, il ne s'étonna même pas du spectacle grotesque de sa tenue et fit comme si de rien n'était.

Comme il ouvrait pour elle la portière de sa luxueuse Jaguar, la jeune femme demanda d'un ton dégagé :

— Où allons-nous ?

— C'est une surprise.

Lorsqu'il se gara devant chez Otto, l'un des restaurants les plus chic de la région, Maddison sentit son estomac se nouer. Comment allait-elle oser entrer dans un endroit aussi prestigieux dans l'accoutrement qu'elle s'était choisi ?

En s'habillant de cette manière provocante, elle avait voulu blesser l'amour-propre de Demetrius, une façon pour elle de lui dire : « Voyez-vous, ce n'est pas parce que vous voulez m'épouser que je vais ramper dans la docilité. Je serai excentrique autant que bon me semblera. »

Mais en sentant le regard méprisant des convives se poser sur elle sur son passage, Maddison comprit immédiatement la signification de l'expression « mourir de honte »…

Imperturbable, le maître d'hôtel les conduisit jusqu'à la meilleure table de l'établissement.

— Quel plaisir de vous voir, monsieur Papasakis ! Je vous apporte la carte des vins.

— Allez plutôt me chercher une bouteille de votre meilleur champagne. Nous fêtons un grand événement.

— Oh ! s'exclama le maître d'hôtel. Mais c'est magnifique ! Serait-il indiscret de vous demander quel est ce grand événement ?

— Je me marie, annonça calmement Demetrius. Nous nous marions.

Maddison, malade d'humiliation, faisait semblant de choisir

son menu, le nez dans la carte. Elle n'avait absolument pas envisagé que les événements prendraient une telle tournure.

Dès que le maître d'hôtel eut tourné le dos, elle chuchota :

— Mais vous êtes fou ! Tout le monde va croire que vous allez épouser une prostituée !

— C'est bien vous qui avez choisi votre tenue de ce soir, non ? Il faut donc en assumer les conséquences, ma chère Maddison.

— J'ai seulement voulu vous donner une leçon et...

— Une leçon ? la coupa-t-il avec un sourire amer. Sachez que j'ai passé l'âge de recevoir des leçons !

— Pourtant vous le mériteriez, grommela-t-elle, vexée.

— Tiens donc ? Et de quel ordre ?

— Tout d'abord, sur l'art et la manière de vous comporter avec les femmes. Je n'aime pas que l'on me traite comme un objet, que l'on me dise ce que j'ai à faire ou à ne pas faire. Vous aimez votre indépendance, j'aime la mienne.

Elle se tut lorsqu'elle vit arriver un des garçons de salle avec le champagne.

Ce dernier déboucha la bouteille avec des gestes précis et remplit cérémonieusement chacune des deux flûtes avant de s'incliner et de s'éloigner discrètement.

— A nous ! lança Demetrius en levant son verre.

Maddison l'imita sans répondre en soutenant courageusement le regard en vrille qu'il dardait sur elle.

Tandis qu'il l'observait avec attention, Demetrius Papasakis ressentait un sentiment étrange, comme un mélange d'admiration et d'attendrissement. Cette jeune femme lui tenait tête, évidemment, mais c'était tout à son honneur. Il s'était demandé si elle allait accepter sa proposition de mariage factice. Il voyait bien qu'elle était déchirée entre son frère qu'elle voulait protéger et son indépendance qu'elle voulait conserver, et il admirait son courage.

Il aurait voulu lui dire qu'il avait beaucoup apprécié son père, et qu'il avait été très surpris et terriblement déçu par le détournement comptable dont il s'était rendu coupable. Mais il valait mieux éviter ce sujet douloureux. Maddison avait suffisamment de soucis pour l'instant. Certes elle acceptait le mariage, mais il comprenait bien qu'elle s'y rendait à reculons.

Quant à lui, il se réjouissait sincèrement de ce mariage qui allait pouvoir redresser nettement son image de marque. Depuis de nombreuses années, la presse le présentait comme un personnage instable, coureur, joueur, bref, comme un milliardaire peu sérieux qui n'était même pas capable d'aller jusqu'au mariage.

Et cette détestable réputation nuisait à ses affaires, car, en affaires, la vie sociale joue un rôle de premier plan.

Mais il y avait aussi un autre élément, plus mystérieux, qui l'incitait à ce mariage insolite.

En choisissant Maddison Jones, il avait eu un éclair de génie. Il en était de plus en plus persuadé.

Tandis que Maddison et Demetrius entamaient l'entrée de leur dîner, un flash les aveugla.

— Mon Dieu ! s'exclama sourdement Maddison. Je suis sûre que deux ou trois journaux vont étaler ma photo dès demain…

— Allons, cela n'a pas grande importance.

— Mais ils vont croire que vous épousez une fille de rien, une débauchée !

44

— Je vous rappelle que c'est vous qui avez choisi ce rôle, ce soir…

Il n'avait pas besoin de lui rappeler sa lumineuse idée ! pesta-t-elle en le fusillant du regard. Elle n'avait pas fini de s'en mordre les doigts.

Le dîner se poursuivit sans qu'elle ne fasse aucun effort d'amabilité, ni même de civilité. Elle mangea sans appétit, l'humeur sombre.

Au milieu du dîner, Demetrius déclara tout à trac :

— J'aurai un document à vous faire signer, demain.

— Encore ? Je croyais avoir signé tout ce qu'il fallait.

— Il s'agit d'un acte différent. Lorsque notre mariage aura pris fin, vous recevrez tous les mois une pension pour vous dédommager de votre peine.

— Je ne veux pas votre argent, bougonna-t-elle.

— Vous m'en voulez toujours à cause de votre père ? C'est cela qui vous rend si hostile ?

— Cela, entre autres choses.

— Il ne faut pas m'en vouloir pour cette malheureuse histoire. J'ai vraiment été désolé lorsque votre père a dû quitter ma société. J'appréciais beaucoup son travail. Mais nous avons bien été obligés de constater un détournement de fonds qui…

— Mon père aurait été incapable d'une telle ignominie, j'en suis intimement convaincue. C'était un homme foncièrement honnête.

— Il est normal que vous preniez sa défense, mais les faits sont là.

— Avez-vous effectué vous-même l'investigation qui a conclu à un détournement ?

— Pas personnellement, mais un de mes adjoints, Jeremy

Myalls, s'en est chargé. Son enquête a conclu à une escroquerie avérée.

— Mon père n'a jamais été un escroc. C'était un homme d'honneur, qui a beaucoup souffert, tout particulièrement quand ma mère est morte.

— Vous aviez quel âge, lorsqu'elle a disparu ?

— Dix ans. Et Kyle cinq.

Il la considéra un moment avec compassion.

— Cela doit être terrible de perdre sa mère à cet âge-là, murmura-t-il avec douceur.

— Oui. C'était très dur. Il a fallu faire face. Et mon père…

Elle s'interrompit brusquement et essuya d'un geste rapide et discret les larmes qui avaient perlé à ses yeux.

Demetrius se pencha vers elle, le visage tourmenté.

— Vous savez, Maddison, j'ai été vraiment désolé, pour votre père…

— Ne vous fatiguez pas, monsieur Papasakis, murmura-t-elle en serrant les dents.

Le reste du dîner se déroula sans incident notable. Prise soudain d'un sentiment de malaise confus, Maddison se rendit aux toilettes, et se planta face au miroir ; du bout des doigts, elle retira lentement ses faux cils.

— La comédie est finie, articula-t-elle d'une voix sinistre.

Demetrius la reconduisit jusqu'à chez elle et ils restèrent silencieux durant tout le trajet. Lorsqu'ils furent arrivés, Maddison n'attendit pas qu'il vînt lui ouvrir la portière ; elle sortit le plus vite possible et se dirigea d'un pas vif vers l'entrée de son immeuble.

Il la rattrapa aussitôt et la saisit par le bras.

— Maddison…

— Laissez-moi !

— Allez-vous enfin cesser de faire la guerre ?

— Mais lâchez-moi, enfin !

— Il faut que je vous parle, Maddison.

— Nous n'avons rien à nous dire !

Il la dévisageait d'un regard si brûlant qu'elle fut sur le point de baisser les yeux.

— Je vous déteste, dit-elle en le fusillant du regard.

— Alors je vais vous donner une raison supplémentaire de me détester, murmura-t-il en l'attirant à lui.

L'instant d'après, sa bouche était sur la sienne ; une bouche dévorante, passionnée, animée d'une ardeur folle.

La jeune femme fut tellement saisie que, sur le coup, elle n'eut même pas l'idée de se défendre. Et très vite elle fut dominée par un ravissement qui l'envahissait totalement, qui transformait ses muscles en miel, ses os en un liquide brûlant, toute sa chair en un tapis de plaisir…

Elle fondait, totalement prise par cette spirale de sensations, tandis que sa langue jouait voluptueusement avec celle de Demetrius.

La main de Demetrius s'était glissée sous son soutien-gorge et caressait passionnément ses seins, tout en essayant de la débarrasser de ses vêtements.

Maddison ne luttait pas. Toute résistance eût d'ailleurs été impossible. Le feu qui l'avait envahie la consumait et la comblait d'un plaisir sans limites.

Son pire ennemi la rendait folle et elle acceptait cette folie, plus forte que tous les raisonnements.

— Oh… Demetrius…

Pour la première fois depuis leur rencontre, elle avait prononcé son prénom.

— Maddison… Maddison…, répétait-il, ivre lui aussi de ces voluptés partagées.

Ce n'est que lorsqu'ils entendirent le bruit d'une voiture qu'ils se détachèrent l'un de l'autre, haletants, égarés, le souffle court.

Maddison, bouleversée, réajusta ses vêtements en désordre et courut vers chez elle.

— Bonne nuit, Demetrius, lança-t-elle d'une voix éraillée par ce désir démentiel qui venait de la submerger pour la première fois de sa vie.

Elle entra en courant dans le hall de son immeuble et grimpa les deux étages sans s'arrêter.

Demetrius ne tenta pas de la rejoindre.

Il retourna comme un automate vers sa voiture et se laissa tomber sur son siège.

Le subtil parfum de la bouche de Maddison vibrait toujours sur ses lèvres, sur sa langue…

Et tout son corps tremblait encore de leur étreinte fugitive et passionnée.

4.

Le lendemain matin, on vint livrer un message chez Maddison : elle devait se rendre à 14 heures au bureau de Demetrius Papasakis afin d'y recevoir des documents importants.

Agacée, elle chiffonna furieusement le papier.

Dès qu'elle entra dans le bureau de Demetrius, quelques heures plus tard, il lui tendit sans un mot une enveloppe assez épaisse contenant une série de documents à signer.

— Qu'est-ce que c'est ? s'enquit-elle, méfiante.

— Il y a là, entre autres, la carte de crédit que vous m'avez renvoyée. Je tiens à ce que vous l'utilisiez.

— Je ne veux pas de votre sale argent !

Un tic nerveux, très bref, passa sur les lèvres de Demetrius tandis qu'un éclair s'allumait dans ses yeux. Manifestement, il n'avait pas l'habitude qu'on lui réponde aussi vertement.

— Je vous conseille vivement de prendre cette carte de crédit, mademoiselle Jones. Et de l'utiliser. Vous vous achèterez toutes les tenues nécessaires et au besoin superflues. Je ne souhaite pas vous revoir dans des déguisements aussi excentriques que celui que vous portiez hier. Sachez qu'au cas où vous vous habilleriez encore n'importe comment, je me ferai un plaisir, le matin, de vous habiller, *moi-même*, avec des vêtements décents.

Comme elle restait debout face à lui, sans répondre, le regard buté, il tendit la main vers un des fauteuils.

— Asseyez-vous, Maddison, je vous en prie. J'ai à vous parler.

De mauvaise grâce elle s'installa dans le fauteuil et croisa les bras dans un geste de défi.

— Mon conseiller juridique a donc préparé une série de documents à signer que vous trouverez dans cette enveloppe, poursuivit-il. L'un des protocoles stipule que lorsque notre mariage aura pris fin, vous toucherez une allocation annuelle de…

— Je n'en veux pas, trancha-t-elle, obstinée.

— Vous n'avez pas le choix. Cela fait partie de notre accord. Si vous n'acceptez pas, je serai obligé de renoncer à notre engagement, avec les fâcheuses conséquences que cela aurait pour votre frère.

Les bras toujours croisés sur sa poitrine, la jeune femme le fixa froidement et ne répondit pas.

— Il y a autre chose, reprit-il avec autorité. J'ai fait appel à une entreprise de déménagement. Vous quitterez votre appartement la veille du mariage. Toutes vos affaires seront emportées ce jour-là. Ah… J'oubliais : j'ai pris rendez-vous pour vous avec une esthéticienne qui effectuera tous les soins nécessaires et élaborera un maquillage adéquat.

Il tendit le bras et saisit un journal qui était posé sur son bureau.

— Je ne veux plus de *ça* ! grommela-t-il en lui tendant le journal.

Lorsqu'elle vit la photo prise au cours du dîner de la veille, Maddison se figea, horrifiée. Son absurde tenue était vraiment grotesque et, cerise sur le gâteau, une grimace particulièrement horrible la faisait ressembler à une harpie.

Rouge de honte, la jeune femme se jura que plus jamais elle ne s'amuserait à porter un tel déguisement.

Des coups frappés à la porte lui permirent d'échapper au regard méprisant de Demetrius.

— Entrez, Jeremy ! lança ce dernier en se calant dans son fauteuil.

Après la poignée de main échangée avec l'assistant de Papasakis, un grand blond au visage mou, Maddison s'essuya discrètement la main contre sa hanche. Jeremy Myalls avait les mains horriblement moites et tout, dans son attitude, évoquait la sangsue.

— Permettez-moi de vous présenter toutes mes félicitations pour ce merveilleux mariage, commença l'adjoint d'un ton mielleux.

« Garde tes félicitations pour toi », pensa-t-elle, l'esprit ailleurs, tandis qu'il se répandait en compliments et politesses.

— J'ai très bien connu votre père, vous savez, enchaîna-t-il. C'était un homme de grande valeur.

« Qui a été viré de la société de manière odieuse », compléta-t-elle intérieurement, sentant la colère monter en elle.

— Bien. Je vais vous laisser, annonça-t-elle brusquement. Vous avez certainement du travail.

Comme elle se dirigeait vers la lourde porte de chêne, Demetrius Papasakis lui lança sur un ton musical :

— Vous n'oubliez rien, chérie ?

Elle se retourna, ébahie. Chérie ? Mais il rêvait !

— Quoi donc ? répondit-elle, les yeux ronds.

— Vous ne m'avez pas embrassé !

Et d'un pas souple et vif, il s'approcha d'elle et posa ses lèvres sur les siennes, d'une manière appuyée, dans un baiser qui dépassait la convenance sociale.

Elle se détacha de lui, chancelante et avec la désagréable

impression que le piège qu'elle n'avait pas vraiment voulu voir venait de se refermer sur elle. La comédie sociale dans laquelle elle s'était engagée commençait véritablement.

Vingt-quatre heures avant le mariage, Maddison prit un taxi qui la déposa devant le hall du grand Hôtel Papasakis Park View Tower pour prendre la clé de la suite qu'elle allait désormais occuper avec son *mari*.

— Je suis mademoiselle Jones, annonça-t-elle à l'employé qui se trouvait derrière un vaste comptoir.

— Oh, mademoiselle Jones, quel plaisir ! s'exclama l'homme avec un grand sourire. Bienvenue dans notre établissement.

— Merci, répondit-elle poliment.

— Voici votre clé.

Il lui tendit le petit rectangle plastifié destiné aux serrures électroniques des établissements modernes.

— Si vous avez besoin de quoi que ce soit, n'hésitez pas à appeler la direction. Je crois que tous vos bagages ont déjà été livrés. Voulez-vous qu'un garçon d'étage vous accompagne jusqu'à votre suite ?

— Non, merci. Ce n'est pas nécessaire. M. Papasakis est-il déjà là ?

— Il est là-haut, oui. Voulez-vous que je le prévienne de votre arrivée ?

— Non. Je préfère lui faire la surprise. Il adore les surprises ! ajouta-t-elle avec un rire forcé.

« Et des surprises, il va en avoir ! », pensa-t-elle tandis qu'elle s'engouffrait dans l'ascenseur.

Lorsqu'elle arriva tout en haut du building, elle s'engagea sur l'épais tapis rouge du vaste couloir qui menait à la suite de Demetrius Papasakis.

Comme elle s'apprêtait à frapper à la porte, elle hésita quelques secondes et choisit d'entrer sans prévenir. Après tout, elle était chez elle. Elle inséra le petit carton plastifié dans la fente de la serrure, et la porte s'ouvrit avec un « clic » discret.

— C'est toi, mon bébé ? lança la voix de Papasakis, à l'autre bout de la suite.

« Quelle drôle de manière de m'appeler », pensa Maddison, étonnée par une familiarité si soudaine. Mais était-ce bien à elle qu'il s'adressait ?

— C'est moi, mon canard ! répondit-elle en appuyant avec ironie sur les dernières syllabes afin de souligner le ridicule de l'appellation.

Demetrius apparut en tenue de gymnastique et sembla surpris de la voir.

— Je ne vous attendais pas aussi tôt, dit-il simplement en souriant.

— Voulez-vous que je reparte et que je revienne dans cinq minutes ? ironisa-t-elle.

— Allons, ne soyez pas stupide !

— Vous attendiez peut-être quelqu'un d'autre ? hasarda-t-elle, moqueuse.

Il éluda la question.

— Pourquoi ce sobriquet de « canard » ? Ne trouvez-vous pas cela un peu ridicule ? Nous n'allons pas entrer dans le jeu des appellations débiles, si fréquentes dans les couples.

— Comment souhaitez-vous que je vous appelle ? « Mon cœur » ? « Mon chat » ? « Ma puce » ? En l'occurrence, et vu votre taille, le qualificatif serait mal choisi, non ?

— Appelez-moi Demetrius, ce sera plus simple.

Elle se laissa tomber dans un profond fauteuil et observa les lieux, clairs et luxueux.

— Je meurs de faim, lança-t-elle d'un ton dégagé. Comment fait-on pour manger, ici ?

— Il suffit d'appeler le service d'étage. Vous aurez tout ce que vous voulez. Vous faites le « 9 ».

Elle se leva distraitement et s'approcha de la grande baie vitrée qui surplombait la ville.

— Oh, quelle vue magnifique ! s'exclama-t-elle, sincère. Je sens que je vais être très bien, ici.

— Je suis heureux de vous l'entendre dire. Avez-vous acheté la robe que vous porterez au mariage ?

— Ce n'était pas la peine, je l'ai confectionnée moi-même.

— Mais je vous ai donné une carte de crédit pour…

— Pourquoi gaspiller ainsi l'argent ? Il me restait du tissu provenant de mes rideaux.

— De vos *rideaux* ! s'étrangla-t-il, visiblement horrifié. Vous vous êtes fait une robe avec vos rideaux ?

— Oui, avec le tissu qui restait, laissa-t-elle tomber d'une voix tranquille.

Cette femme allait le rendre fou ! L'air catastrophé, il se força à respirer calmement.

— Avec vos rideaux…, murmura-t-il une nouvelle fois, au comble de la consternation.

— Je pensais que vous apprécieriez mon sens de l'économie, dit-elle, le regard ailleurs. C'est tellement absurde de jeter son argent par la fenêtre, surtout lorsque l'on vient de perdre un million et demi de dollars.

— Oublions cela, grommela-t-il.

— J'ai une petite faim, Demetrius. Pas vous ? Voulez-vous que nous allions dîner quelque part ou préférez-vous appeler le service de l'hôtel ?

— A vrai dire, j'ai un rendez-vous.

— Oh… Je vois. Vous allez enterrer votre vie de célibataire.

— Pas exactement. J'ai rendez-vous avec Elena.

— Elena ? Le réservoir à parfum ? railla-t-elle.

Il la considéra d'un œil noir et répondit sèchement :

— J'ai cru que c'était elle qui arrivait, tout à l'heure, lorsque vous êtes entrée dans l'appartement.

— Ah ! C'était donc elle, le *bébé* !

Malgré elle, Maddison ressentit une étrange boule au creux de l'estomac. Allons ! Il était tout à fait absurde qu'elle éprouvât de la jalousie à l'égard des petites amies de Papasakis ! C'était son affaire à lui. Qu'il mène sa vie, qu'il s'amuse. Cela ne la regardait pas. La nature de leur mariage n'avait-elle pas été nettement précisée ?

Il n'empêche qu'elle éprouvait une sorte de pincement au cœur tout à fait désagréable.

— Avez-vous invité Elena pour le mariage ? s'enquit-elle du ton le plus détaché possible.

— Non. Cela ne m'a pas semblé être une très bonne idée.

Maddison n'avait guère de difficultés à le croire. Elle imaginait sans peine la tête d'Elena au moment de féliciter les jeunes mariés…

— Je vais prendre une douche et m'habiller, annonça Demetrius d'un ton léger. Installez-vous, mettez-vous à votre aise. N'oubliez pas que vous êtes maintenant chez vous.

— Merci. Je vais appeler le « 9 » et commander mon dîner.

Lorsque le garçon d'étage lui apporta le plateau roulant, Maddison se rendit soudain compte que la situation qui était la sienne était plutôt surréaliste.

Elle allait se marier avec un homme qu'elle méprisait, son futur mari était allé rejoindre une de ses maîtresses, et elle se retrouvait seule, au dernier étage d'un luxueux hôtel dans une suite qui allait constituer son lieu de résidence pour les mois à venir.

C'était totalement absurde.

Mais elle n'avait pas le choix.

C'était la seule manière d'éviter la prison à Kyle.

Vers 2 heures du matin, tout ensommeillée, elle entendit Demetrius qui rentrait dans sa chambre personnelle.

Elle dormit mal cette nuit-là, et se réveilla en entendant les pas de Demetrius dans l'appartement.

Elle se leva, se brossa machinalement les cheveux, puis sortit de sa chambre.

La suite disposait d'un coin cuisine des plus confortables qui jouxtait le salon. Demetrius était en train de préparer son petit déjeuner et tourna la tête en l'entendant venir.

— Bonjour, lança-t-elle d'un ton neutre.

— Bonjour ! Bien dormi ?

— On ne dort jamais très bien dans un nouveau lit…

— En avez-vous connu beaucoup, de *nouveaux lits* ? s'enquit-il en la dévisageant avec curiosité.

— Vous aimeriez connaître ma vie amoureuse avant de vous rencontrer ? Pas de chance. Je n'ai aucunement l'intention de vous en parler.

Maddison sentait le regard appuyé de son futur mari qui la scrutait avec insouciance jusqu'aux tréfonds d'elle-même, et ne put réprimer un frisson.

Mais elle était bien décidée à ne rien confier de personnel à cet homme qui, elle ne devait pas l'oublier, demeurait un redoutable ennemi pour elle.

56

— Nous nous retrouverons au Jardin Botanique, annonça-t-il tandis qu'il versait le café dans la cafetière. Ce sera plus simple.

— Le marié et la mariée vont donc arriver chacun de leur côté, selon la tradition, remarqua Maddison avec une tonalité ironique et amère. Cela ressemblerait presque à un *vrai* mariage ! Il ne manque plus que les demoiselles d'honneur avec leurs gants blancs !

— Si vous renoncez à ce mariage, autant le dire tout de suite, pendant qu'il est encore temps, gronda-t-il, l'œil noir. Mais vous connaissez les conséquences d'une telle démission…

— Je sais, je sais ! marmonna-t-elle entre ses dents, agacée. Je n'ai pas le choix.

— L'esthéticienne viendra tout à l'heure pour les soins de beauté et le maquillage, enchaîna-t-il. Puis ce sera mon adjoint, Jeremy Myalls, qui vous conduira jusqu'au Jardin Botanique.

L'homme aux mains moites ! Elle n'avait vraiment pas de chance !

— Vous n'avez trouvé personne d'autre ? grommela-t-elle, irritée. J'aurais pu aussi bien proposer à un de mes amis de m'accompagner.

— Mais vous m'avez dit vous-même que vous ne vouliez inviter personne !

— C'est vrai. Je ne pouvais pas décemment inviter des amis à un mariage qui n'en est pas un.

Moins d'une demi-heure plus tard, Demetrius Papasakis tirait la porte derrière lui, le visage sombre.

Maddison venait à peine de sortir de la douche que l'on frappait discrètement à la porte.

C'était l'esthéticienne.

— Bonjour mademoiselle Jones, et toutes mes félicitations !

— Entrez, je vous en prie.

— Je m'appelle Candice, annonça la jeune femme avec un charmant sourire.

Comme elle la faisait entrer, Maddison se dit que le mieux serait de se faire maquiller et coiffer près de l'une des grandes baies du salon. Autant profiter des rares plaisirs que lui offrait ce stupide mariage.

— Je crois que je n'aurai pas beaucoup de travail, annonça gaiement Candice. Vous êtes déjà très joliment coiffée, et votre teint est parfait.

« Comme c'est agréable de recevoir des compliments aussi spontanés », pensa Maddison, sincèrement touchée.

La jeune femme n'avait jamais été absolument sûre de sa beauté, et doutait énormément de son charme naturel.

— Quelle belle robe ! s'exclama Candice en découvrant l'ensemble que Maddison allait porter. Elle vient d'un grand couturier ?

Maddison éclata de rire.

— C'est moi qui l'ai faite avec du tissu pour rideaux !

— Avec... du *tissu de rideaux* ? C'est incroyable ! Vous avez un talent fou !

Il ne fallut guère de temps à Candice pour arranger la coiffure et parfaire un maquillage qui rehaussait la finesse du visage de Maddison et soulignait le bleu azur de ses grands yeux.

Lorsqu'elle se plaça devant le miroir, habillée, coiffée et maquillée, Maddison eut un sourire satisfait.

La robe lui allait merveilleusement bien.

Candice lui avait assuré avec enthousiasme qu'elle était belle à ravir, et c'était vrai.

A présent, elle pouvait aller rejoindre au Jardin Botanique l'homme qui allait être officiellement son mari ; cet homme qui resterait toujours son ennemi juré.

5.

Jeremy Myalls vint la chercher peu de temps après le départ de Candice.

— Vous êtes absolument ravissante ! s'exclama-t-il aussitôt. Demetrius a bien de la chance !

— Allons-y, décida-t-elle, impatiente d'en finir avec cette bouffonnerie maritale.

Son estomac se contracta violemment tandis qu'elle entrait dans la voiture qui l'attendait devant l'hôtel, une somptueuse Mercedes blanche. Il n'était pas si facile que cela de jouer le rôle d'une mariée, même factice.

Un petit groupe l'attendait déjà devant la salle où l'on allait procéder à la brève cérémonie.

Au milieu de ce groupe et dominant tout le monde d'une bonne tête, Demetrius Papasakis, en costume gris sombre, avait le visage grave.

Lorsqu'il la vit s'avancer vers lui son visage s'éclaira, et la jeune femme crut déceler une note d'admiration au fond de son regard.

Il lui prit le bras en souriant et la conduisit jusqu'au premier rang où ils s'installèrent, dans un silence des plus impressionnants.

Mais c'est d'une oreille distraite que Maddison écouta les

formules solennelles et ronflantes que l'on prononce d'ordinaire en ce genre de circonstance. Elle ne se sentait nullement concernée par ce discours ; ce n'était pas elle, la mariée. De toute façon, même en essayant de se concentrer, elle était à mille lieues du personnage qu'elle devait interpréter.

Elle songeait à Kyle, qui se trouvait à l'autre bout du pays, et qui avait enfin trouvé un travail qui lui convenait, son cher petit frère pour qui elle n'avait pas hésité à s'engager dans un absurde mariage avec un fort bel homme, certes, mais qui se trouvait être le personnage le plus odieux qu'elle ait jamais rencontré.

Elle sursauta lorsque le célébrant haussa le ton pour lancer d'une voix tonnante :

— Et je vous présente M. et Mme Demetrius Papasakis !

Tous les invités applaudirent à tout rompre et, tandis que s'amplifiait le tumulte joyeux de la cérémonie, elle eut sur ses lèvres les lèvres de Demetrius...

Ce ne fut pas un baiser de circonstance, mais un véritable baiser, avec l'ardeur d'une langue qui exige une réponse immédiate. Pendant un temps qu'elle ne put évaluer, Maddison perdit toute notion d'espace, de temps et de lieu.

Lorsque Demetrius abandonna enfin ses lèvres, les flashes des photographes crépitaient autour d'eux, la ramenant brutalement à la réalité.

— Vous êtes très belle, chuchota-t-il à son oreille avec un sourire radieux.

Il était sincère, cela se voyait ; ses yeux brillaient de plaisir et d'admiration, et Maddison oublia un court instant que le compliment venait de lui pour se laisser gagner par un véritable sentiment de fierté.

— Vous vous attendiez au pire, n'est-ce pas ? lança-t-elle,

malicieuse. La robe en *tissu de rideaux* vous inquiétait, avouez-le.

— Je trouve que ce serait du gâchis que de mettre devant une fenêtre un si joli tissu. Venez à présent. Les photographes nous attendent pour les photos officielles.

Comme elle s'était pliée au protocole de la cérémonie, Maddison se plia au protocole des poses photographiques et s'efforça d'afficher le sourire de la jeune mariée comblée.

Mais au fond d'elle-même, elle attendait avec impatience que toute cette mascarade soit finie.

Au fil des minutes, les muscles de son visage devinrent de plus en plus douloureux, tandis qu'elle avait l'impression que ses sourires se transformaient irrémédiablement en fâcheuses grimaces.

Et c'est avec un immense soulagement qu'elle entendit une voix qui annonçait : « Bien, les photos sont terminées ! »

Une réception se tenait dans l'un des salons du Papasakis Park View Tower. Rien n'avait été laissé au hasard, et un luxe inouï s'étalait dans la vaste salle fleurie pour l'occasion du sol au plafond.

— Trinquons, ma chère épouse ! annonça Demetrius tout en levant sa coupe de champagne.

Elle leva aussi sa coupe mais évita soigneusement de croiser son regard.

Jeremy Myalls vint bientôt les rejoindre, un verre de whisky à la main, et Maddison réprima un mouvement de recul ; il y avait quelque chose dans le regard de cet homme qui contredisait le large sourire qu'il affichait, comme un reflet glacial qui inquiéta la jeune femme. Instinctivement, elle se méfiait de cet homme aux mains moites et au regard sibérien.

— Encore une fois, toutes mes félicitations, déclara-t-il avec une véhémence débordante. Je suppose que vous allez partir en voyage de noces ?

Il s'était tourné vers Maddison qui secoua la tête.

— Non, nous n'avons pas prévu de…

— Bien sûr, l'interrompit Demetrius d'un ton joyeux. Nous partirons juste après la réception. C'est une surprise. Je n'en ai parlé à personne. Tu préviendras ma secrétaire, Jeremy. Je compte sur toi pour que tout se passe bien au bureau en mon absence. S'il y a quelque problème, tu m'appelles.

Myalls, après avoir approuvé chaleureusement et renouvelé félicitations et souhaits de bon voyage, s'éloigna bientôt vers un groupe d'amis, au grand soulagement de Maddison.

La jeune femme était furieuse ! Comment Demetrius avait-il osé organiser une lune de miel sans la mettre au courant ! Croyait-il que parce qu'ils étaient à présent mariés, il allait décider pour elle ?

Elle leva la tête vers lui et demanda sèchement :

— Vous m'aviez fait comprendre qu'aujourd'hui serait un jour comme les autres, en dehors de cette formalité administrative. Et maintenant, vous envisagez un voyage ? Je ne comprends plus ! Je n'ai aucune envie de partir en voyage ! Surtout avec vous !

Demetrius la considéra d'un regard absent, comme si elle n'existait pas.

— Excusez-moi un instant, dit-il d'un ton distrait. Il faut que je voie quelqu'un.

Et, sans plus d'explications, il s'éclipsa. Sans doute allait-il rejoindre une femme, pensa Maddison. Goujat comme il l'était, cela ne l'aurait pas étonnée.

Pendant la vingtaine de minutes qui suivit, Maddison n'eut pas le temps de penser à l'étrange conduite de Demetrius, et dut faire face à différentes personnes qui la complimentèrent et l'interrogèrent. Elle se montra évasive et continua de jouer la comédie de la jeune mariée heureuse et comblée, prenant parfois plaisir à ce petit jeu.

Lorsque Demetrius revint, il la prit par la taille de manière possessive, et salua les uns et les autres en souriant. Le grand milliardaire volage jouait parfaitement son rôle, pensa-t-elle, prise soudain d'un curieux sentiment.

Enfin, tous les invités s'en allèrent, et ils demeurèrent seuls dans le grand salon qui bruissait encore des échos de la fête.

— Montez préparer vos affaires, ordonna Demetrius d'une voix impassible. Je vous rejoins dans quelques minutes.

Il tourna les talons avec vivacité, puis poussa d'une main énergique l'une des portes du salon avant de disparaître.

Loin de se révolter devant une telle grossièreté, Maddison se contenta de hausser les épaules et se dirigea vers le hall de l'ascenseur. Au passage, elle saisit d'un geste vif une coupe de champagne qui restait sur un plateau et la dégusta à petites gorgées.

Lorsqu'elle fut dans l'ascenseur, au lieu d'appuyer sur le bouton du dernier étage où se trouvait la suite, elle appuya sur le bouton du cinquième niveau, qui était l'étage du bar.

Elle avait tout le temps de se retrouver toute seule dans l'appartement de celui qui était à présent son mari.

Lorsqu'elle arriva devant le bar, le jeune barman lui lança d'un ton respectueux :

— Madame Papasakis désire boire quelque chose ?

Elle hésita un instant. Elle n'avait pas l'habitude des bars, d'abord parce qu'elle buvait rarement de l'alcool, ensuite parce qu'elle ne voyait pas ce qui aurait pu l'attirer dans ce genre d'endroit.

— Donnez-moi un Mai Tai, commanda-t-elle, l'esprit ailleurs, se souvenant avoir un jour apprécié ce cocktail assez doux.

Elle se demanda où était parti Demetrius. Probablement avait-il rejoint une de ses anciennes maîtresses. Après tout, c'était son droit, puisque leur mariage n'était qu'un faux mariage. Ce n'était pas cela qu'elle critiquait. Non. Elle lui reprochait des événements bien plus graves : d'abord la menace qu'il faisait peser sur Kyle et le chantage qu'il avait exercé sur elle, ensuite la mort de son père, qu'elle ne lui pardonnerait jamais.

Son père était mort prématurément suite à l'accusation injuste dont il avait fait l'objet au sein de la Société Papasakis et à son licenciement.

A cet instant précis, elle comprenait à quel point elle détestait Demetrius Papasakis. Oui, elle haïssait cet homme qui se servait d'elle comme d'un objet que l'on utilise et que l'on jette ensuite à la poubelle. Elle ne croyait guère à l'argument de son fameux *rideau de fumée* qu'il avait évoqué pour ce mariage. Sa puissance financière était énorme, il était connu de tous et sa place était solidement ancrée dans la société. Quel besoin avait-il d'un alibi ?

Non. Il l'avait épousée pour une autre raison. Mais laquelle ? Il ne lui disait pas toute la vérité, elle le pressentait. Mais elle finirait bien par découvrir la vraie raison de ce mariage arrangé. Le puissant Papasakis ne savait pas à qui il avait affaire !

Elle était accoudée au bar, perdue dans ses pensées lorsqu'elle entendit la voix de Jeremy Myalls, tout près. Elle sursauta.

— Ne me dites pas que Demetrius vous a déjà abandonnée ! plaisanta l'adjoint de Papasakis en la fixant de ses yeux de glace.

— Non, non, répondit-elle avec un rire bref. Dans l'ascenseur, j'ai eu subitement envie de m'arrêter un instant au bar, et je vais remonter dans un instant pour préparer mon sac de voyage.

— Allons ! On n'a besoin de rien pendant un voyage de noces ! plaisanta de nouveau Myalls, un grand sourire aux lèvres. Les jeunes mariés se contentent d'un peu d'amour et d'eau fraîche…

Elle laissa de nouveau échapper un petit rire de gorge, par pure politesse. Une sorte d'instinct lui soufflait de prendre garde à cet homme. Il suffisait d'observer son regard pour deviner qu'il était dangereux.

Elle posa son verre à demi vide sur le bar et annonça d'une voix pressée :

— Il est temps que je remonte à l'appartement. Au revoir, monsieur Myalls.

Jeremy Myalls posa sa main sur le bras de Maddison d'une manière un peu trop appuyée.

— Appelez-moi Jeremy, insista-t-il, charmeur.

— Au revoir, Jeremy, lâcha-t-elle, mal à l'aise.

— J'espère que vous passerez une merveilleuse lune de miel, susurra-t-il, les paupières à moitié baissées.

Lorsqu'elle se retrouva dans l'ascenseur, Maddison s'adossa contre la paroi d'acier poli et ferma les yeux. D'un seul coup, la fatigue l'avait envahie et elle n'avait qu'une envie : se jeter dans un lit et dormir d'un profond sommeil trois jours d'affilée !

La porte de l'ascenseur coulissa avec un chuintement qui ressemblait à un soupir désespéré. Arrivée devant la suite, Maddison chercha dans son sac sa clé magnétique.

Mais, d'un seul coup, la porte s'ouvrit et la haute silhouette de Demetrius se dressa devant elle.

— Mais où diable étiez-vous passée ? rugit-il, furieux.

Elle le fixa d'un regard bref et inquiet.

— L'ascenseur s'arrêtait à tous les étages, plaida-t-elle sans conviction, l'air dégagé.

L'argument était tout à fait absurde, mais elle n'avait pas envie de discuter ni de se justifier.

Mais à cet instant précis, Demetrius ne partageait manifestement pas son sens de l'humour.

— Avant toute chose, j'aimerais que vous notiez un point qui me tient particulièrement à cœur, articula-t-il d'un ton sec. Je ne supporte pas que l'on me raconte des mensonges.

Elle croisa les bras et le regarda bien en face.

— Et moi, j'aimerais également que vous notiez un point qui me tient particulièrement à cœur, répéta-t-elle en détachant chaque mot avec colère. Je ne supporte ni d'être bousculée, ni d'être traitée comme une esclave. Vous avez beau être richissime, posséder des hôtels somptueux, des yachts ou des...

— Ah ! Parlons-en des yachts ! grommela-t-il, les yeux noirs de fureur.

— Oui... Bon... L'allusion n'est pas judicieuse. Mais est-ce que je vous demande où vous étiez, vous ? se reprit-elle. Non. Il est d'ailleurs préférable de ne pas poser la question !

— D'autant plus que vous devinez la réponse, n'est-ce pas ?

— Vous pouvez voir Elena Tsoulis autant que vous voulez, vous noyer aussi longtemps que cela vous plaira dans son sillage parfumé qui empoisonne l'atmosphère, lâcha-t-elle d'un ton méprisant, cela ne m'empêchera pas de dormir.

Une lueur ironique dansa dans les yeux sombres de Demetrius.

— Ne ressentez-vous même pas un petit pincement de jalousie, malgré tout ?

— Jalouse ? Moi ? Vous voulez rire ! Vous êtes officiellement mon mari depuis quelques heures, mais ce n'est qu'un acte administratif et rien de plus. Vous pouvez aller vous amuser ailleurs autant que vous le désirez. Tout ce que j'exige, c'est de ne pas faire partie de votre troupeau.

— Oh, le vilain terme ! s'exclama-t-il en riant. Vous me prenez pour un cow-boy ?

— Je ne vous prends pour rien du tout, siffla-t-elle entre ses dents.

— Ne craignez-vous pas que je fasse valoir mes droits conjugaux, maintenant que nous sommes mariés ?

Elle le fixa d'un regard glacial.

— Je vous conseille de ne même pas songer, le menaça-t-elle, tendue malgré elle.

— Alors, je n'ai aucune chance de vous séduire ? insista-t-il avec un sourire charmeur qui eût fait fondre n'importe quelle femme.

Maddison le fusilla du regard. Elle détestait ce genre d'homme, conscient de son charme et qui savait en jouer. Elle n'avait aucune intention de jouer. Elle savait qu'elle allait devoir passer quelques mois difficiles auprès de cet individu, jusqu'à ce qu'il lui rende sa liberté. Puis elle pourrait enfin tirer un trait sur cette malheureuse affaire. Kyle serait libre. Elle serait libre.

Mais en attendant, elle était bien obligée de jouer les épouses fidèles et amoureuses. Du moins en public. En privé, elle mettrait un point d'honneur à lui dire, chaque fois qu'il le serait nécessaire, ses quatre vérités.

Comme s'il avait pu lire dans ses pensées, Demetrius murmura d'un ton enjoué :

— Sachons donner du temps au temps. Après quelques jours passés en ma compagnie, après quelques semaines, quelques mois, vous constaterez que je ne suis pas un monstre. Je ne suis pas le personnage abject et diabolique que vous imaginez.

Il écarta ses mains dans un geste d'innocence et ajouta d'une voix douce :

— Je suis un gentil garçon, vous savez…

Maddison lui lança un regard qui en disait long.

— Et je suis sûre, moi, que dans trois jours, dans trois semaines, dans trois mois, je vous détesterai encore plus qu'aujourd'hui !

— Ouh ! Comme elle y va fort ! rétorqua-t-il en mimant une grimace comique. Ouh, qu'elle est méchante !

A cet instant, la jeune femme l'aurait volontiers giflé. Il ne semblait aucunement touché par les paroles déplaisantes qu'elle avait prononcées, et souriait à présent de manière confiante, sûr de lui et de son charme.

— Vous êtes odieux, marmonna-t-elle, furibonde. Et vous ne…

Elle fut interrompue de manière totalement imprévue. Vif comme l'éclair, Demetrius s'était approché d'elle et avait posé sa bouche sur la sienne, avec un tel naturel, une telle rapidité, qu'elle n'avait pu esquiver le baiser.

Au début, elle essaya de se dégager et d'échapper à l'étreinte puissante. Mais par une sorte de magie qui la dépassait et qui allait bien au-delà de toutes les décisions, elle se sentit vaincue par le plaisir et le désir qui l'avaient subitement embrasée de la tête aux pieds…

Tandis que la langue de Demetrius fouillait sa bouche avec une ferveur passionnée, elle oublia tout de l'homme qu'il était, elle oublia ce qu'il avait fait à son père ; elle se mit à répondre à son baiser avec une ferveur égale à la sienne.

A présent elle désirait l'homme qui la serrait dans ses bras avec ivresse, elle le désirait comme elle n'avait désiré aucun homme jusqu'à ce moment.

Emportée par ce baiser qui n'en finissait pas, Maddison

perdit toute notion de la réalité. Seuls comptaient pour elle ce plaisir ardent, ce désir brûlant et cette incroyable jouissance qui la foudroyaient.

Lorsque enfin il détacha doucement ses lèvres des siennes, ses yeux brillant d'une flamme intense, il murmura d'une voix un peu éraillée :

— Alors ? Vous me détestez toujours autant ?

Le son de sa voix eut pour effet de ramener brusquement Maddison à l'instant présent, et c'est de la manière la plus ferme qu'elle rétorqua :

— Plus que jamais !

Mais il afficha un sourire réjoui.

— Tant mieux ! J'adore les batailles. Nous aurons encore à nous affronter. Et je gagnerai. J'adore gagner.

— Vous ne doutez de rien ! répliqua-t-elle, méprisante. Pour vous, tout est un jeu, et vous pensez toujours gagner… Mais avec moi, ce sera différent, vous verrez !

— Allons, Maddison. Ne gâchons pas notre lune de miel en nous chamaillant inutilement. Allez préparer votre sac de voyage. Nous partons dans dix minutes.

— Je n'ai pas du tout envie de lune de miel ! Cela ne faisait pas partie de notre accord. Au départ, vous m'avez proposé un simple mariage, une simple formalité, mais pas plus.

Il fronça les sourcils, puis répéta d'un ton plus ferme :

— Dix minutes, Maddison. Si vous ne me rejoignez pas en bas dans dix minutes, je monterai vous chercher par la peau des… par la peau du cou !

— Mais…

— Neuf minutes, Maddison !

Furieuse, elle traversa l'appartement et claqua une porte à toute volée. Il la traitait comme une gamine de douze ans ! Non, comme un patriarche romain — grec, plus exactement — aurait traité une esclave voici deux mille ans !

Elle fourra dans son sac de voyage quelques vêtements au hasard, marcha d'un pas nerveux jusqu'à la salle de bains, prit quelques affaires de toilette, claqua une nouvelle fois la porte...

Lorsqu'elle le rejoignit dans le vaste hall d'entrée de l'hôtel, elle bouillait encore de rage.

Demetrius saisit son sac sans un mot.

— J'ai demandé que l'on amène la voiture devant l'entrée. Allons-y.

Ce n'était pas la belle Jaguar habituelle qui les attendait, mais un énorme 4x4 qui semblait capable de traverser n'importe quel désert.

Maddison prit place en silence.

— Où allons-nous ? demanda-t-elle alors qu'ils s'engageaient sur une large avenue à proximité de l'hôtel.

— A Black Rock Mountain, répondit-il d'un ton enjoué. J'ai une maison, là-bas. J'adore cet endroit.

Maddison imagina aussitôt une énorme bâtisse face à un parc immense, un château entouré de jardins à la française, une tour de vingt-cinq étages, ultramoderne...

— C'est aussi un hôtel ? interrogea-t-elle distraitement.

— Oh non ! s'exclama-t-il en riant. Je n'ai pas des hôtels partout ! Vous verrez, Black Rock Mountain vaut le détour.

Maddison s'était endormie, et elle se réveilla brusquement lorsque le 4x4 s'arrêta.

— Où sommes-nous ? dit-elle en se frottant les yeux.

— Nous sommes arrivés. Voici l'endroit où j'aime tant me retirer, de temps à autre, loin du monde...

La jeune femme, éberluée, n'en croyait pas ses yeux. Au lieu du château qu'elle imaginait, au lieu d'une luxueuse demeure, elle avait en face d'elle une modeste cabane perdue dans une clairière, une sorte de hutte sauvage.

La nuit était maintenant presque tombée, et l'on avait peine à distinguer les choses. Demetrius fouilla dans le coffre de la voiture et en sortit une torche électrique. Puis il se dirigea vers la cabane et entra.

Maddison, qui l'avait suivi mais l'attendait à l'extérieur, lui demanda au bout d'un moment :

— Pourquoi n'allumez-vous pas les lumières ?

— Il n'y a pas d'électricité, ici.

— Quoi ? Pas de courant ? s'écria-t-elle, saisie brusquement d'une sourde angoisse. Mais nous sommes XXIe siècle, non ?

Depuis qu'elle était toute petite, Maddison avait peur du noir. C'était absurde, assurément, mais elle n'y pouvait rien. Dans le noir, elle paniquait.

— Entrez, l'invita Demetrius. Je vais prendre les affaires dans la voiture.

— Je… je viens vous aider ! lui proposa-t-elle aussitôt, ne voulant à aucun prix rester seule dans l'obscurité.

A la lueur de la torche, ils revinrent à la voiture, puis entrèrent de nouveau dans la vieille cabane.

— Il y a des araignées ? demanda-t-elle d'une voix qu'elle souhaitait la plus dégagée possible.

— Des colonies entières ! répondit-il, taquin.

— Oh, mon Dieu ! Moi qui déteste les ar…

— Rassurez-vous. Elles ne sont pas méchantes, lui assura-t-il avec un rire léger.

Il alluma deux bougies qui étaient fixées sur des bouteilles et entreprit d'allumer le feu dans la cheminée.

Maddison s'était rapprochée du foyer, rassurée par les flammes orange qui s'élevèrent peu à peu.

— J'aime les cheminées, murmura-t-elle, songeuse, tandis qu'elle fixait d'un œil rêveur les flammes qui ondulaient.

Comme elle ajoutait une bûche dans le foyer, Demetrius lui recommanda de ne pas gaspiller le bois.

— Je n'ai pas de réserve, lui expliqua-t-il avec un sourire charmant.

Maddison le regarda d'un air ébahi.

L'un des hommes les plus riches de ce pays possédait, comme résidence secondaire, une cahute misérable, sans électricité, sans chauffage, sans confort. Personne ne la croirait !

— Y a-t-il au moins des lits, dans cette masure ? questionna-t-elle d'un ton railleur.

— Bien sûr, répondit-il flegmatiquement. Un grand lit.

6.

Maddison sursauta.

— *Un* lit ? Mais il n'est pas question que je dorme dans le même lit que vous !

— Ah bon ? Et où allez-vous dormir, alors ? Dehors ?

Non. Ce n'était pas possible. Il la faisait marcher. C'était sa petite vengeance personnelle pour la punir d'avoir choisi cette tenue ridicule le soir de leur premier dîner en tête à tête.

— Dites-moi que vous plaisantez, Demetrius.

— Eh bien si vous ne voulez vraiment pas dormir dehors, il vous faudra partager mon lit, conclut-il, une note amusée dans la voix.

— Je crois que je préfère encore passer la nuit à la belle étoile, grommela-t-elle.

Il haussa les épaules.

— Dehors, c'est la jungle, plaisanta-t-il d'un ton mesuré. Il y a toutes sortes de bestioles…

Elle songea immédiatement aux scorpions, aux araignées, aux moustiques, aux rats… et frissonna de dégoût. Mais elle releva le menton d'un air de défi.

— Il est parfait, votre plan, lâcha-t-elle d'un ton amer. Vous m'avez amenée ici pour me donner une leçon, en quelque sorte.

Il haussa un sourcil.

— Une leçon ? s'étonna-t-il, l'air amusé. Une leçon de quel genre ?

— Je ne sais pas. Vous avez sans doute votre petite idée derrière la tête.

— J'avais simplement envie de m'éloigner de la foule, expliqua-t-il posément. Un endroit tel que celui-ci va nous offrir l'occasion de mettre les choses au point entre nous.

— De *mettre les choses au point* ? répéta-t-elle avec un ton ironique et amer. Nous sommes ici parce que vous l'avez décidé je vous rappelle. Moi, je n'avais pas le choix.

— Nous sommes ici parce que votre frère a coulé mon yacht en plaçant une grenade explosive sous la coque !

Maddison fixa Demetrius avec des yeux ronds.

— Une grenade sous la coque ? C'est vraiment ainsi qu'il a procédé ?

— Oui. Et il a sûrement dû plonger plusieurs fois pour la placer. Oh, il s'est montré extrêmement déterminé, votre *petit frère*. C'est sans doute un caractère de famille ?

— J'avoue que je suis perplexe. Kyle a toujours été très mauvais nageur. A peine pouvait-il effectuer une longueur de piscine sans se noyer. Je ne vois pas comment il aurait plongé plusieurs fois pour placer une grenade sous la coque...

— Tout est une question de motivation. Il était farouchement déterminé à détruire le bateau. Et il a réussi.

— Oh, la motivation..., murmura-t-elle, pensive. Vous connaissez la chanson, vous aussi. Et je me demande de quelle nature a été votre *motivation* lorsque vous avez décidé de me proposer le mariage.

— Disons que vous m'êtes apparue comme une sorte de contrat d'assurance après le sabordage de mon yacht.

— Je ne savais pas que l'on pouvait m'estimer à un

million et demi de dollars ! s'étonna-t-elle, amusée. Vous m'en voyez flattée.

— Ne vous sous-estimez pas, Maddison.

— En tous les cas, nous nous sommes bien mis d'accord sur un point : le mariage restera purement administratif, n'est-ce pas ?

Demetrius ne répondit pas.

— Vous m'avez donné votre parole, insista-t-elle, subitement inquiète.

— Ah bon ? fit-il, l'air faussement étonné.

Elle serra les poings.

— Oh, ne jouez pas au plus fin avec moi, Demetrius. Vous jouez un jeu dangereux, vous savez... Ce que vous avez préparé en m'emmenant ici malgré moi porte un nom : c'est un enlèvement ! La prison vous guette, Demetrius !

— Cela m'étonnerait, dit-il calmement, le sourire aux lèvres.

L'assurance dont il faisait preuve la déconcertait totalement. Elle demeura un moment déroutée, puis elle reprit d'une voix maîtrisée :

— Pouvez-vous me dire où se trouve la salle de bains ?

— Il y a une petite douche dans le coin, là-bas. Mais les toilettes se trouvent à l'extérieur.

— Ah, vraiment très commode ! bougonna-t-elle avec humeur.

— Prenez la torche, ce sera plus commode, lui conseilla-t-il aimablement.

— On est en plein cauchemar...

— Non. Nous sommes simplement en pleine nature. Le cadre est rustique, je vous l'accorde, mais je vous avoue que je l'aime beaucoup.

— *Rustique ?* C'est le moins que l'on puisse dire ! J'ai l'impression de vivre à l'époque de la guerre du feu.

— N'avez-vous donc pas le sens de l'aventure ? s'étonna-t-il. Il y a beaucoup de personnes qui paieraient des fortunes pour ce genre de dépaysement.

— Alors, vous devriez compléter votre chaîne d'hôtels par des établissements tels que celui-ci, railla-t-elle. Des baraques délabrées, sans électricité, sans toilettes, perdues au milieu de nulle part... Vous seriez assuré d'une fidèle clientèle de masochistes.

— Ah Maddison ! soupira-t-il d'un air déçu. Je vois que vous n'appréciez pas les vacances insolites. C'est dommage...

— Je ne conçois pas de vraies vacances dans un tel taudis, reprit-elle, contrariée. Et encore moins une lune de miel.

— Vous attendiez-vous donc à une véritable lune de miel ? questionna-t-il avec douceur.

— Bien sûr que non ! s'écria-t-elle, hors d'elle. Ne me faites pas dire ce que je n'ai pas dit !

Elle saisit la torche électrique et se dirigea d'un pas vif vers la porte.

— Je vais aux toilettes, annonça-t-elle, exaspérée.

— Je peux vous accompagner, si vous voulez...

— Surtout pas !

— Si vous n'êtes pas de retour dans dix minutes, je viendrai quand même vous chercher.

— Vous n'en ferez rien ! De toutes les manières, je serai de retour dans deux minutes.

Elle sortit en claquant la porte et éclaira son chemin jusqu'à la minuscule cahute qui abritait les toilettes. Par bonheur, il n'y avait pas d'araignées. Ni de scorpions ou autres charmantes bestioles.

Lorsqu'elle revint dans la cabane principale, Demetrius

était penché sur une petite marmite qu'il avait installée sur un trépied, près du feu.

— Ah, vous voici de retour, saine et sauve ! lança-t-il d'un ton enjoué en tournant la tête dans sa direction. Avez-vous trouvé ?

— Sans problème.

— Je suis en train de préparer à dîner. Avez-vous faim ?

— Vous ? Cuisiner ? Je dois rêver…

— Ce n'est pas de la grande cuisine, certes, mais je crois que vous devriez aimer.

Il prit une grande cuillère et remplit une assiette qu'il tendit à Maddison.

— Prenez la chaise, installez-vous et goûtez-moi ça !

Elle fut surprise par le sourire lumineux qui éclaira son visage à cet instant. Jusqu'à présent, aveuglée par sa haine, elle n'avait pas voulu s'attarder sur ce détail : Demetrius Papasakis était un très bel homme.

Mais ce soir, à la douce lueur du feu de bois qui crépitait dans la cheminée, elle ne pouvait pas ne pas admirer les traits magnifiques de cet homme qui était son mari. Du moins sur un registre.

Elle baissa les yeux sur son assiette. Cela sentait vraiment très bon. Un mélange de tomates, de thym et de romarin, avec une pointe d'ail pour corser le tout.

Elle goûta. C'était délicieux.

— Je vous sers un peu de vin ? lui proposa Demetrius avec un sourire qui aurait fait fondre le plus cruel des guerriers d'Attila.

Elle tendit son verre tout en évitant de s'attarder sur le beau visage qui se penchait sur elle.

Puis elle but une gorgée, et continua de manger sans un mot.

Elle était de plus en plus troublée par la présence et le magnétisme de cet homme à la stature imposante qui rendait le chalet tout petit.

— Il y a longtemps que vous possédez cette cabane ? demanda-t-elle afin de rompre le silence qui devenait trop oppressant.

— Quelques années.

— C'est amusant, vous n'avez absolument pas l'air d'un bricoleur. Or cette cabane, dans l'état où elle est, doit bien exiger des petits travaux de temps à autre, non ?

Il eut de nouveau un sourire lointain.

— Oh, vous savez, je suis tout à fait capable de me servir d'une hache ou d'un marteau…

Maddison avait de plus en plus de mal à saisir la vraie nature de Demetrius Papasakis, milliardaire de son état. Comment un homme d'affaires de son envergure pouvait-il venir se ressourcer dans une cabane de bois, perdue dans la nature ?

La cuirasse de l'ennemi se révélait bien plus complexe qu'elle ne l'aurait cru.

Comme s'il avait deviné ses interrogations, il demanda d'une voix paisible :

— A quoi pensez-vous ?

— A rien, mentit-elle avec assurance.

En fait, les questions se bousculaient dans sa tête : qui était réellement cet homme ? Pourquoi avait-il tenu à m'épouser ? Que souhaitait-il de moi ? Voulait-il coucher avec moi ? Comment vais-je pouvoir me sortir du piège dans lequel je suis tombée ?

Leurs regards se croisèrent et restèrent soudés l'un à l'autre l'espace de plusieurs secondes.

— On dirait que vous avez envie d'aller vous coucher, murmura-t-il d'une voix étrange.

— Absolument pas. Je ne suis pas fatiguée. Et puis j'ai l'habitude de lire avant de dormir.

— Avez-vous apporté un livre avec vous ?

— Je n'en ai pas eu le temps. Vous m'avez tellement pressée, au moment du départ, que…

— Mais non, je ne vous ai pas pressée, comme vous dites. C'est vous qui…

— Ah, cessez de m'interrompre à tout bout de ch…

— C'est vous qui m'interrompez !

— J'en ai assez que vous me manipuliez comme vous le feriez d'une marionnette ! s'écria-t-elle, furieuse.

Il se leva d'un bond, et elle se recroquevilla instinctivement sur sa chaise, le cœur battant.

Comme il la dominait de sa haute taille, l'air mauvais, elle se leva aussi et lui fit front.

Ils s'observèrent un moment, comme des lutteurs qui vont s'affronter. Puis Demetrius murmura d'un ton à la fois amusé et railleur :

— Quel caractère vous avez, Maddison ! Vous étiez comme cela, avec vos amants précédents ?

— Cela ne… ne vous regarde pas, grommela-t-elle, les joues rosies par l'émotion.

— Je me demande ce qui vous met dans des états pareils chaque fois. Auriez-vous peur de moi, par hasard ?

— Peur de vous ? Mais non. Simplement, je ne veux pas… Je ne veux pas…

Comme elle ne parvenait pas à terminer sa phrase, il la compléta à sa place :

— Vous ne voulez pas coucher avec moi !

Elle eut l'impression que le rose qui était monté à ses joues il y a un instant avait viré au rouge.

La contradiction qu'elle était en train de vivre et dans laquelle elle se débattait la mettait dans tous ses états. Une partie d'elle-même était extrêmement séduite par le charme de cet homme, tandis que l'autre partie s'opposait farouchement à lui.

— Vous êtes la dernière personne avec qui j'aurais envie de coucher, marmonna-t-elle, bouleversée. Vous n'êtes vraiment pas mon type d'homme.

Une lueur amusée dansa dans le regard sombre de Demetrius.

— Quel est votre type d'homme ?

Elle aurait dû s'attendre à une telle question ! Que répondre ? « Etant donné que je suis encore vierge, je n'ai aucune idée de ce que je désire chez un homme. »

Mais cela, il n'était pas question qu'elle le lui avoue, évidemment.

Comme il la considérait avec une attention amusée, elle évita son regard en gardant les yeux fixés sur le col de son T-shirt, et ajouta sur le ton le plus assuré possible :

— Vous êtes certainement la dernière personne avec laquelle je pourrais partager un lit.

Un silence tendu s'installa. Puis Demetrius reprit, pensif :

— Vous employez des mots très durs pour moi, Maddison. Mais je me demande si vous pensez réellement ce que vous dites lorsque vous me parlez de cette manière.

— Bien sûr que je le pense !

— Hum…

Il avait sur les lèvres son demi-sourire de loup et paraissait vraiment très sceptique.

Comme il s'approchait d'elle, Maddison, le cœur battant, recula d'un pas, puis d'un autre...

Mais il fut bientôt tout près d'elle, et c'est d'un mouvement à la fois lent et gracieux qu'il posa le bout de son index sur sa lèvre supérieure, comme pour indiquer que c'était là qu'il voulait commencer.

Et « là », c'était un point particulièrement sensible de ses lèvres, un arrondi charmant qu'il longea, du même doigt, pour suivre lentement, subtilement, la courbe de la bouche...

La jeune femme, bouleversée par la délicatesse de la caresse, ouvrit imperceptiblement la bouche dans le secret espoir que cette caresse s'égare plus avant...

Ce doigt qui l'effleurait, comme le pinceau d'un peintre glissant sur une toile, lui procurait des sensations exquises, vertigineuses et traçait les esquisses d'un monde de sensualité qu'elle ne connaissait pas encore.

Mais la main de Demetrius se plut à choisir un chemin tout autre. Elle longea la joue, puis le cou de la jeune femme, et se posa sur l'arrondi de l'épaule qu'elle serra doucement.

Toute tremblante, Maddison sentait qu'elle était perdue, qu'il était trop tard pour s'enfuir. Le plaisir la clouait littéralement sur place.

Lorsque la bouche de Demetrius se posa sur la sienne, la jeune femme vibra de tout son être et retint à grand-peine un petit cri.

Les lèvres tièdes de Demetrius jouèrent tout d'abord avec la bouche de Maddison dans un mouvement de va-et-vient raffiné et délicieux. Puis sa langue se glissa entre les lèvres de la jeune femme pour prendre possession de sa bouche.

Emportée par un plaisir dévastateur, la jeune femme chancela et crut basculer dans le vide.

Et lorsque leur étreinte prit fin, elle eut l'impression que des années-lumière venaient d'être parcourues.

Peu à peu elle retrouva la réalité et cette flamme un peu ironique qui brûlait dans le regard de Demetrius.

— Vous avez fini par céder, murmura-t-il à la manière d'un vainqueur qui pose le pied sur la poitrine de l'adversaire dans l'arène.

Maddison avait à présent recouvré son souffle et ses esprits. Elle marmonna d'une voix contrariée :

— Evidemment. Vous ne respectez pas les règles du jeu. Vous les changez sans cesse... D'abord, vous promettez un mariage purement formel puis, dans un deuxième temps, vous abusez de la situation et me forcez à faire ce que... ce que je ne veux pas... Je vous déteste, avec vos pulsions détestables !

— Détestables ? s'étonna-t-il.

— Pas seulement détestables, mais également dégoûtantes, répugnantes, diaboliques...

— Ça suffit ! gronda-t-il, le regard brûlant d'une flamme mauvaise.

Maddison tressaillit. Elle comprit brusquement que les mots qu'elle venait de prononcer étaient terriblement blessants, et elle le regrettait déjà. Mais cet homme avait l'étrange pouvoir de lui faire dire et faire des choses insensées.

— Je vais faire un tour, annonça Demetrius d'une voix sinistre. Pendant que je serai dehors, je souhaiterais que vous prépariez le lit. Choisissez le côté qu'il vous plaira, cela m'est égal.

Il tourna les talons, puis, se ravisant, ajouta d'un ton glacial :

— Que cela vous plaise ou non, vous dormirez dans ce lit. Vous n'avez pas le choix. Ai-je été suffisamment clair ?

Désemparée, les larmes aux yeux, Maddison baissa la tête.

— C'est d'accord, répondit-elle d'une voix à peine audible.

Il sortit en claquant la porte, faisant trembler la flamme de la bougie.

7.

Lorsqu'elle l'entendit revenir, quelques minutes plus tard, elle sentit son cœur battre plus sourdement dans sa poitrine. Etait-il encore en colère ? Avait-il pris une nouvelle décision ? Une décision qui aurait compromis la liberté de Kyle…

Mais elle ne se sentait pas le courage de lui poser la moindre question, même la plus anodine.

Anxieuse, elle écouta le bruit de l'eau venant du recoin qui servait de salle de bains.

Lorsqu'elle l'entendit ouvrir avec précaution la porte de la chambre, elle se recroquevilla sur le bord du lit, terrifiée, et ferma les yeux.

Elle perçut le froissement des vêtements qu'il enlevait et son cœur battit un peu plus vite. Elle n'avait pas voulu se déshabiller, ses vêtements lui étant apparus comme une protection, protection bien fragile, il est vrai, mais à cet instant, la fragilité semblait être le maître mot de sa vie.

Lorsqu'il se glissa dans le lit, elle sentit le creux qui se formait au milieu du matelas et se raidit. Elle sortit discrètement sa main de dessous les draps pour se cramponner au bord du matelas.

— Pouvez-vous souffler la bougie, Maddison ?

Le noir, le noir absolu… Oh non ! Chez elle, elle s'endormait toujours avec une lampe de chevet allumée. Le noir absolu était une de ses phobies, encore plus vive que la peur des araignées.

— Maddison ? Eteignez donc cette bougie, je vous prie ! insista Demetrius avec un ton las.

— On ne peut pas la laisser allumée ? hasarda-t-elle dans un chuchotement mal assuré.

— Non, c'est dangereux. Un feu peut se déclarer rapidement… Tout s'embrase très vite, vous savez…

Oh, il ne croyait pas si bien dire…

Quelques minutes plus tôt, il avait allumé en elle l'incendie le plus intense qui fût. Et il avait suffi de peu de chose : un doigt, une caresse, une pression un peu marquée, son corps tendu contre le sien, sa bouche qui dévorait la sienne, et l'embrasement avait été complet. Pour la première fois de sa vie, elle avait compris ce qu'était véritablement le désir impétueux.

Et puis tout s'était brusquement arrêté, et elle avait perçu cette lueur moqueuse dans son regard. Et c'est alors qu'elle avait eu l'impression que son cœur se fissurait.

Demetrius Papasakis demeurait plus que jamais l'ennemi, le destructeur. Il jouait avec elle ; il ne fallait jamais qu'elle l'oublie.

A présent, dans cet absurde cabanon perdu au milieu de nulle part, seule la toute petite flamme jaune de la bougie, qui dansait devant ses yeux, la rassurait.

Et il voulait l'éteindre !

— Laissons-la brûler, supplia-t-elle dans un murmure.

— Soufflez-moi cette bougie, enfin ! gronda-t-il d'un ton exaspéré. Sinon, c'est moi qui vais le faire.

Elle dut se résigner, et le grand voile obscur de la nuit s'abattit dans la cabane. Terrifiée, elle se réfugia sous le drap et une plainte douloureuse lui échappa malgré elle :

— Il fait sombre…

— Normal, c'est la pleine nuit, grommela Demetrius en s'enfonçant dans son oreiller.

Moins d'une minute plus tard, elle entendait son souffle régulier ; il dormait profondément.

Elle poussa un soupir exaspéré. Le lit était trop étroit pour deux personnes, et elle était obligée de se tasser à un bout pour éviter tout contact avec lui. En plus, le matelas était très inconfortable, plein de trous et de bosses ! Pourquoi un homme aussi riche que Papasakis ne pouvait-il pas s'offrir un matelas décent ?

A bout de nerfs, elle se leva et alla s'installer devant la cheminée qui rougeoyait encore. Elle posa deux bûches sur la braise et attendit patiemment que le feu reprenne.

De jolies flammes orangées s'élevèrent rapidement, et elle passa un long moment à les fixer, l'esprit vide, le cœur triste.

Pourtant, peu à peu, elle se détendit. Bientôt ses paupières devinrent de plus en plus lourdes.

Demetrius se réveilla au moment où l'aube commençait à éclairer le paysage d'une lumière tendre.

Il aimait dormir dans cette cabane, si près de la nature. Au petit matin, le concert des oiseaux était une véritable merveille.

Il s'étonna en constatant que Maddison n'était plus dans le lit. Quelque peu inquiet, il enfila ses vêtements en vitesse et passa dans l'autre pièce.

La jeune femme était étendue devant la cheminée dans une attitude si gracieuse que l'on aurait dit un ange venu s'échouer pour une pause terrestre.

Il demeura un long moment à la contempler, à la fois séduit et étonné. Il avait rencontré tant de femmes qui avaient ardemment souhaité partager son lit, et voici que celle qui en possédait le droit légitime préférait le déserter !

Maddison se réveilla un peu plus tard, surprise par la puissance du chant des oiseaux.

Elle vit Demetrius s'activant dans le coin-cuisine, et le souvenir de la soirée de la veille lui revint brutalement à l'esprit.

— Bonjour ! lança-t-il gaiement. Voulez-vous une tasse de thé ? Je viens d'en faire.

Elle se redressa et passa une main dans ses cheveux. Elle avait dormi à même le sol, sur le tapis, devant la cheminée, et ses membres étaient tout endoloris.

— Merci, je veux bien, répondit-elle, un peu égarée.

Il lui apporta bientôt un bol plein de thé fumant au parfum délicat. Il portait un vieux pantalon de travail d'un bleu usé et un chandail tirebouchonné. Il n'était pas rasé, et une ombre couvrait ses joues, ce qui le faisait ressembler à un héros de western.

Elle ressentit comme une boule au creux de l'estomac : cet homme était extrêmement beau.

— Je ne vous demande pas si vous avez bien dormi, lui lança-t-il avec un sourire discret.

— Je m'attendais à pire. Finalement, on arrive tout à fait à dormir sur un sol dur.

— Voulez-vous du pain grillé ?

— Comment avez-vous fait pour griller du pain dans une cabane sans électricité ?

— Dans la cheminée, pendant que vous dormiez.

Elle fronça les sourcils, agacée par l'idée qu'il s'était approché si près d'elle pendant qu'elle dormait.

Sans doute avait-il lu dans ses pensées, car il reprit aussitôt d'une voix rassurante :

— Mais je ne vous ai pas touchée, si c'est cela qui vous inquiète. Je ne vous ai même pas effleurée !

— Heureusement ! grommela-t-elle.

Il lui apporta bientôt une assiette de tartines de pain grillé, puis lui demanda d'un ton chaleureux :

— Cela vous ferait-il plaisir, une balade dans la brousse ? Il y a une très belle cascade à une heure de marche. Et le trajet est très agréable. Si nous avons de la chance, nous pourrons même apercevoir des oiseaux-lyres.

— Etes-vous sûr de ne pas vous perdre dans une contrée aussi sauvage ?

— Je connais la région comme ma poche. Ne vous faites pas de souci. Avez-vous de bonnes chaussures pour la promenade ?

— Oui, j'ai emporté des souliers à talons plats.

Moins d'une heure plus tard, Maddison marchait à grandes enjambées derrière Demetrius qui ouvrait la route au milieu d'une végétation exubérante, sous des arbres majestueux.

Plus ils avançaient, plus la végétation devenait dense. Le silence n'était interrompu, de temps à autre, que par l'envol soudain d'un oiseau effrayé.

Maddison, très impressionnée, suivait docilement son guide qui paraissait tout à fait à l'aise au sein de cette jungle luxuriante.

Bientôt il lui sembla entendre un grondement, au loin. Ils continuèrent d'avancer, et le grondement se fit de plus en plus sonore.

Quelques minutes plus tard, alors que le bruit était devenu

véritablement assourdissant, la jeune femme découvrait l'énorme chute d'eau qui dévalait des falaises.

— C'est grandiose ! s'écria-t-elle, impressionnée.

— Nous allons grimper jusqu'en haut ! expliqua-t-il en hurlant lui aussi. Il y a une vue magnifique sur toute la vallée ! Suivez-moi !

Ils entreprirent d'escalader les rochers qui entouraient la cascade. Au cours de leur ascension, ils aperçurent un oiseau-lyre qui s'envolait à tire-d'aile.

Ils étaient presque au bout de leur avancée, lorsque Maddison dérapa sur une roche mouillée. Demetrius la rattrapa et la retint fermement par le bras.

Elle leva les yeux vers lui.

Les eaux tumultueuses du torrent grondaient, juste sous leurs pieds.

— Merci, dit-elle, le souffle court. J'ai glissé.

— Il faut faire attention. Je n'ai pas envie de vous repêcher dans le torrent…

Il ne la lâchait pas et la gardait tout contre lui, comme s'il voulait lui faire comprendre qu'il ne fallait pas prendre de risques.

Puis il posa sa bouche sur la sienne dans un baiser aussi soudain que fougueux.

En écho au torrent qui dévalait la pente, tout près d'eux, un torrent intérieur tout aussi puissant la submergea d'un seul coup.

Et elle oublia de nouveau qui était Demetrius…

Tout contre lui, elle éprouva pour la première fois un sentiment réellement fort pour lui, un sentiment qui échappait à toute logique.

« Je ne vais tout de même pas tomber amoureuse, pensa-t-elle, chavirée. Il est mon ennemi depuis que nous nous connaissons, et il n'y a pas de raison que cela change. Il faut réagir ! »

Lorsque Demetrius relâcha son étreinte, elle s'écarta brusquement de lui.

— Attention ! lança-t-il d'une voix inquiète.

Trop tard.

Maddison perdit de nouveau l'équilibre et bascula dans les eaux tourbillonnantes.

8.

— Maddison ! hurla-t-il tandis qu'elle était emportée par le courant fougueux.

Un peu plus bas, en aval, le torrent s'élargissait en une sorte de conque géante tout aussi tumultueuse. C'est là qu'il la rejoignit.

Mais elle était hors d'atteinte. De temps à autre, sa tête disparaissait sous l'eau, et elle tendait la main dans un appel désespéré.

Il comprit qu'il ne parviendrait pas à la sortir de là en restant sur le bord.

Sans hésiter il plongea dans l'eau glacée, puis nagea de toutes ses forces dans sa direction, luttant contre le courant qui le déportait sans cesse avec une violence inouïe.

Il parvint enfin à la saisir par les cheveux, alors qu'elle allait de nouveau être entraînée vers le fond.

Tant bien que mal, il l'entraîna vers le bord, saisit la branche d'un arbre pour s'y cramponner, et, à bout de souffle, se hissa sur la rive, serrant Maddison contre lui.

Elle resta un long moment à tousser et à recracher toute l'eau qu'elle avait absorbée.

Haletant, il la fixait avec des yeux fous.

— Ça va ?

Elle ne répondit pas et fit un vague signe de la tête.

— Vous auriez pu vous noyer ! grommela-t-il.

Elle le considéra d'un regard absent à travers les mèches boueuses qui pendaient de son front.

Puis elle sentit que son estomac se soulevait une nouvelle fois, et elle cracha un mélange d'eau et de boue.

Demetrius l'observait d'un regard compatissant et il écarta, d'un geste doux, une mèche qui lui cachait le visage.

— Ça va mieux ? demanda-t-il au bout d'un moment.

— Oui, je... je crois, articula-t-elle faiblement d'une voix brisée.

Il s'approcha d'elle et la serra tendrement contre lui.

Elle tremblait de tous ses membres.

— Pouvez-vous marcher ? lui demanda-t-il.

— Je le pense, mais j'ai perdu une chaussure dans l'eau.

Il réprima un sourire.

— La belle affaire ! Encore heureux que vous n'ayez pas perdu la vie.

— Ne me... ne me faites pas la morale, dit-elle en hoquetant. Je n'ai pas fait ex... exprès de tomber dans... dans...

— Je veux bien le croire. C'est évident. Mais vous n'avez pas été très prudente. Nous aurions pu nous tuer tous les deux, dans les remous...

— Il ne fallait pas ri... risquer votre vie pou... pour moi, assura-t-elle, claquant des dents.

— Allons, vous plaisantez ! Croyez-vous que j'aurais pu vous laisser dans ce tourbillon infernal ? Pouvez-vous imaginer que j'aurais pu vous regarder tranquillement vous noyer, bien installé sur la berge ?

— Vous avez pris de... de gros risques pou... pour moi, hoqueta-t-elle en frissonnant. Il ne fa... fallait pas. Je m'en serais peut-être so... sortie toute seule...

— Toute seule, c'est possible. Mais probablement pas vivante.

Elle s'ébroua, effectua des moulinets avec les bras pour se réchauffer, puis elle reprit d'une voix plus assurée :

— Ma disparition aurait sûrement rétabli une certaine justice, non ? Ma vie contre le sabordement de votre yacht.

Il se redressa brusquement, piqué au vif.

— Ne dites pas n'importe quoi, Maddison. Je n'ai jamais eu l'intention de vous faire payer la perte de mon bateau.

Elle le regarda bien en face, le menton haut.

— Vraiment ? lança-t-elle sur un ton de défi.

— C'est votre frère qui est en cause. Pas vous. Si vous me dites où il se cache, vous êtes libre de rentrer chez vous, aujourd'hui même.

Surprise par une telle promesse, Maddison le fixa avec étonnement. Ce qu'il proposait était foncièrement logique : il lui rendait sa liberté si elle acceptait de lui fournir le coupable.

Elle baissa les yeux et se mordilla douloureusement la lèvre, torturée par le dilemme qui se présentait à elle.

L'image du sourire naïf de son frère lui apparut. Non, elle ne pouvait pas abandonner ainsi Kyle.

Demetrius, qui avait manifestement senti son hésitation, insista encore :

— Dites-moi, Maddison. Dites-moi, et vous serez définitivement libre.

Elle releva fièrement le menton et riva son regard au sien.

— Même si ma dernière heure était arrivée, je ne vous révélerais jamais où se cache mon frère. Même si vous me torturiez à la manière chinoise, je resterais muette.

Il la considéra encore quelques secondes avec une acuité intense, puis il laissa tomber, déçu :

— Votre loyauté vis-à-vis de votre frère est tout à votre

honneur, mais, à mon avis, parfaitement absurde. En couvrant ainsi Kyle, vous ne lui permettez pas de se rendre compte de l'énormité de son acte. Vous lui donnez l'absolution avant même de lui offrir la chance de pouvoir prendre ses responsabilités d'adulte. Mais peut-être que, dans le fond, cela vous convient de vivre avec moi…, ajouta-t-il sur un ton ironique.

— Je préférerais mille fois croupir dans une prison plutôt que de vivre auprès de vous, dans cette espèce de comédie maritale régie par un arrangement débile ! Vous me faites horreur, monsieur Papasakis !

Elle se leva d'un bond puis s'en alla en boitant, droit devant elle.

Après avoir marché un moment, elle hésita. Elle ne savait absolument plus dans quelle direction se trouvait la cabane…

Vexée, elle retourna sur ses pas.

Demetrius la vit revenir, un sourire moqueur aux lèvres.

— Vous avez eu la sagesse de faire demi-tour, Maddison. C'est une chance, car vous n'étiez absolument pas dans la bonne direction.

— Normalement, je possède un très bon sens de l'orientation, mais tous ces arbres se ressemblent, et je m'y perds…, marmonna-t-elle en évitant de croiser son regard.

— Il faut connaître un tant soit peu la nature et savoir observer les subtilités de la végétation, lui expliqua-t-il avec un sourire indulgent.

— Bien sûr ! explosa-t-elle, piquée au vif. Je suis une oie tout à fait incapable de m'orienter ! Et en plus, je ne possède qu'une chaussure. Ah, j'ai l'air malin !

— Calmez-vous, Maddison. Je trouve que vous avez eu beaucoup de cran, après cette chute dans le torrent. La plupart des femmes seraient devenues hystériques…

Surprise par la sincérité qu'elle ressentait dans ses propos, elle l'observa mieux. Il la considérait avec des yeux rieurs, dépourvus de toute animosité, et ce regard la troubla. Il lui semblait qu'il était en train de tirer secrètement à lui un fil invisible relié à son cœur.

— C'est fou ce que vous êtes mignonne quand vous vous mettez en colère, remarqua-t-il d'un ton admiratif.

Elle redressa machinalement une mèche qui restait collée sur son front et poussa un « pfff… » méprisant.

— Quand nous serons de retour, je vous ferai chauffer un bain, dit-il d'un ton allègre.

— Mais il n'y a qu'une simple douche, dans votre cabanon de misère !

— J'ai un grand baquet, pour les occasions exceptionnelles. On peut même y entrer à deux…

Elle le fixa, incrédule.

— Il n'est pas question que je prenne un bain avec vous, marmonna-t-elle, alarmée, sentant qu'elle rougissait.

— Pourtant, ce serait vraiment très agréable…

— Pour vous peut-être, pas pour moi !

— Là vous me vexez, Maddison.

— Sans doute avez-vous charmé de nombreuses femmes avec ce genre d'invitation au bain, façon Grand Siècle. Mais avec moi, cela ne prend pas.

Demetrius la considéra d'un air désolé. Dans son regard brillait pourtant une lueur amusée.

— Vous sous-estimez mes… potentialités, poursuivit-il modestement.

Elle eut un rire nerveux.

— Vos *potentialités* ? Sans doute ont-elles pu séduire un certain nombre de femmes, mais je peux vous assurer que je ne rallongerai pas votre liste.

— Oh, c'est toujours ce que l'on dit…, marmonna-t-il

d'un ton confiant en la fixant d'un regard intense. Il y a bien quelque chose que vous aimez chez moi, non ? Ma cuisine, peut-être ?

— Je déteste tout ce que vous faites et tout ce que vous êtes, gronda-t-elle, les poings serrés.

Il garda son regard fixé sur elle, et resta silencieux un bon moment. Puis il reprit avec un hochement de tête :

— Moi j'ai l'impression que vous affichez votre animosité à mon égard de manière excessive. Je suis sûr que vous ne pensez pas tout ce mal de moi.

Elle cala ses poings sur ses hanches et lança d'un ton furieux :

— Allons-nous prolonger indéfiniment cette conversation stupide qui ne mène à rien ? Je suis trempée. J'ai froid. J'ai besoin d'une douche. Rentrons, à présent, si vous le voulez bien.

La première chose que fit Demetrius lorsqu'ils furent de retour au cabanon, ce fut d'allumer un grand feu dans la cheminée.

Maddison se précipita sous la douche, qui, malgré sa fraîcheur, lui fit le plus grand bien.

Lorsqu'elle sortit de l'étroit réduit, elle vit que Demetrius avait enlevé son T-shirt.

Bronzé, musclé, admirablement bâti, il était si parfait qu'elle eut un véritable choc en le voyant.

Il vint à sa rencontre et murmura d'une voix douce et musicale :

— Vous avez encore froid... Vos lèvres sont toutes bleues.

Il tendit la main, et, très délicatement, effleura ses lèvres d'une caresse légère et brûlante.

C'est alors que l'existence de la jeune femme bascula dans une direction qui allait changer toute sa vie.

Elle fut brusquement saisie par un désir irrépressible et elle eut l'impression que toute l'atmosphère de la pièce était habitée par ce désir.

Sans doute Demetrius avait-il deviné le bouleversement intense qu'elle vivait, car il l'attira doucement contre lui et posa sans plus attendre ses lèvres sur les siennes.

Dès qu'elle sentit sa bouche contre la sienne, sa langue qui se frayait un chemin en elle, Maddison sut que tout combat serait inutile. Elle était vaincue d'avance.

Alors elle répondit à son baiser, et sa réponse fut pleine de fougue et de passion.

Dans l'ardeur du baiser, leurs corps, plaqués l'un contre l'autre, vibraient d'une folle intensité. Elle percevait son désir, tout contre elle, dur, tendu, exigeant, et elle eut envie d'arracher leurs vêtements pour sentir sa peau contre la sienne.

Dans un geste venu d'une partie inconnue d'elle-même, elle défit le bouton de son pantalon pour le caresser.

— Etes-vous sûre de ce que vous faites, Maddison ? chuchota-t-il à son oreille d'une voix rauque. Vous imaginez où cela va nous mener ?

Incapable de proférer la moindre parole, elle hocha la tête, accrochant son regard brûlant au sien avec une intense émotion.

— Je ne veux pas vous forcer à un acte que vous ne souhaitez pas, insista-t-il pourtant.

Pour toute réponse, elle l'attira contre elle avec une violence extraordinaire.

Il enleva le sweat-shirt qu'elle portait avec une virtuosité de prestidigitateur, et, en un instant, posa ses mains douces sur ses seins.

— Vous savez que ce que nous faisons ne correspond pas à l'accord que nous avons conclu, reprit-il d'un ton ardent.

Une nouvelle fois, elle hocha la tête pour lui certifier qu'elle savait parfaitement ce qu'elle faisait.

Comme il la débarrassait de ses autres vêtements, il ajouta encore :

— Nous étions convenus d'un mariage sur le papier, vous le savez, n'est-ce pas ? D'un mariage de pure forme, sans passage à l'acte, sans échange, sans amour. Un mariage uniquement platonique.

— Oui, je sais, murmura-t-elle d'une voix brûlée par le désir.

Il avait à présent totalement dénudé la jeune femme et la contemplait avec des yeux admiratifs.

— C'est incroyable comme vous êtes belle…

Il posa ses lèvres sur ses épaules et ajouta gravement :

— Je ne devrais pas, n'est-ce pas, Maddison ? Je ne devrais pas…

Comme elle ne répondait pas et s'offrait totalement à lui, il la poussa jusqu'au tapis, devant la cheminée.

Le cœur battant elle s'étendit, offerte, les lèvres tremblantes, le regard voilé par le désir.

La bouche de Demetrius se posa sur son nombril, qu'il taquina de la langue pendant quelques instants, puis elle descendit, plus bas, et Maddison ne put retenir une plainte, tandis que le plaisir devenait de plus en plus vif.

Elle n'avait jamais connu un plaisir aussi intense. Jamais la bouche d'un homme ne l'avait approchée de si près.

Un cri de jouissance lui échappa très vite, et elle roula sur le tapis, frémissante.

Dans une sorte d'inconscience, elle vit Demetrius enlever

son pantalon. Il fut bientôt nu, sur elle, et, instinctivement, elle s'ouvrit pour l'accueillir.

Il entra en elle en une seule poussée.

Elle poussa un cri d'animal blessé.

— Je vous ai fait mal ? s'affola-t-il, soudain inquiet.

— Non… Ce n'est rien… C'est seulement…

— Mon Dieu ! murmura-t-il, catastrophé, comprenant qu'elle faisait l'amour pour la première fois de sa vie. Je suis désolé, articula-t-il d'une voix défaite. Je ne pouvais pas penser un seul instant que…

— Ne vous inquiétez pas, le rassura-t-elle dans un souffle.

— Vous auriez dû me prévenir ! Je n'aurais jamais imaginé que vous étiez…

— Vierge ? Encore vierge à vingt-quatre ans ? Vous pensiez probablement que j'avais eu des tas d'amants, n'est-ce pas ?

— Je suis confus. Je ne sais pas comment…

— Ne vous inquiétez pas, vous dis-je.

— Mais j'ai dû vous faire très mal ! Je vous ai pénétrée avec une sauvagerie impardonnable. J'avais tellement envie de vous, je… Si j'avais su, je me serais montré beaucoup plus doux, plus attentif…

Il la fixait avec un regard accablé.

— Pourquoi ne m'avez-vous rien dit, Maddison ?

— Parce que vous ne m'avez rien demandé.

Il secoua la tête, atterré.

— Il est vrai que vous êtes si différente des autres femmes, murmura-t-il lentement. J'aurais dû m'en douter… Je… Ah, si vous saviez comme je m'en veux !

Maddison se rhabilla sommairement, honteuse à présent de sa nudité. C'est à elle qu'elle en voulait, en premier lieu. Pas à lui. Lui, il n'avait rien fait pour la forcer.

— Dans le calepin où vous notez vos conquêtes, vous pourrez inscrire une mention spéciale pour la jeune écervelée qui s'est jetée dans vos bras...

— Ne dites pas n'importe quoi, grommela-t-il.

— Une petite pucelle naïve et maladroite qui...

— Je vous en prie, Maddison !

Sa voix avait claqué comme un fouet. Le visage ravagé, il marmonna d'un ton aigre :

— Il ne fallait pas m'épouser, Maddison. Il vous suffisait de me dire où se cachait votre frère !

— Pour que vous l'écrasiez, comme vous avez écrasé mon père ? Sûrement pas !

Demetrius se prit le visage dans les mains et resta un long moment, immobile.

Puis il se redressa et lança d'une voix autoritaire :

— Faites votre valise. Nous rentrons.

— Vous voulez partir ? interrogea-t-elle, désemparée.

— Oui. Tout de suite.

— Mais...

— Ne discutez pas, Maddison, la coupa-t-il d'un ton impatient.

Comme il s'affairait à rassembler ses vêtements, elle fixa le feu un long moment d'un regard douloureux, l'esprit agité d'étranges sentiments.

Ce qu'elle craignait plus ou moins consciemment depuis quelque temps était arrivé.

Elle était tombée follement amoureuse de lui.

9.

Le voyage du retour se déroula en silence.

Chacun demeurait absorbé par ses pensées, perdu dans ses propres préoccupations.

Maddison se disait qu'il était sans doute en train de penser à Elena, et qu'il prévoyait de la retrouver dès leur retour.

« Je ne vais tout de même pas être jalouse ? », songea-t-elle avec amertume. Certes, l'étrange contrat qu'ils avaient établi tous les deux avait toujours été clair à ce sujet. Mais aujourd'hui, l'existence d'Elena tournait dans la tête de Maddison comme une blessure ouverte.

Dès qu'ils furent de retour à l'hôtel, on vint prendre leurs bagages, et ils s'engouffrèrent dans l'ascenseur, toujours sans un mot.

Tandis que la cabine glissait silencieusement vers le dernier étage, la jeune femme pensa que cette montée était la plus douloureuse qu'elle eût jamais connue dans un ascenseur. Il lui semblait que l'ascension ne prendrait jamais fin. A côté d'elle, Demetrius, bien campé sur ses longues jambes, fixait la paroi d'un œil absent.

Lorsque les portes automatiques s'ouvrirent, il s'effaça pour la laisser passer.

Dès qu'ils furent dans l'appartement, il annonça d'un ton sec :

— Je vais prendre une douche et me raser. Vous avez votre propre salle de bains, donc nous ne nous dérangerons pas.

Maddison, qui trouvait déjà bien assez consternant ce retour précipité, observait celui qui était son mari officiel avec une stupéfaction grandissante. Pourquoi se montrait-il soudain aussi désagréable avec elle ?

— Arrêtez de me regarder comme cela, Maddison, grommela-t-il après un moment. Je ne vais pas vous sauter dessus pour vous violer !

Elle ouvrit de grands yeux, à la fois effrayée par une telle dureté, et déroutée par la tournure que prenaient les événements.

— Assez ! reprit-il avec mauvaise humeur. Ce que vous pouvez être pénible avec votre regard de martyre !

— Souhaitez-vous que je me mette un sac sur la tête, de manière à ce que mon *regard de martyre* ne vous importune pas ?

— Ne vous donnez pas cette peine, je vais partir. Si vous avez besoin que l'on vous apporte à dîner, vous pouvez appeler le service de restauration. Vous connaissez le numéro.

Elle serra les poings, amère et furieuse.

— Allez donc retrouver vos maîtresses ! lança-t-elle d'une voix vibrante de colère. Vous avez assez perdu de temps avec moi, n'est-ce pas ?

Elle l'entendit rentrer à 3 heures du matin.

Il faisait manifestement un effort pour ne pas faire de bruit et marchait sur la pointe des pieds.

Elle nota une certaine hésitation dans son pas lorsqu'il

passa devant sa porte. Mais il continua jusqu'à sa chambre. Il y eut des bruits familiers de robinet qui coule, de chaussures que l'on enlève...

Et, cinq minutes plus tard, le silence était retombé dans l'appartement.

Maddison essuya rageusement une larme. Puis le sommeil la gagna progressivement et elle s'endormit profondément.

Elle fut réveillée quelques heures plus tard par une toux sonore, une mauvaise toux, aux résonances inquiétantes.

Alertée, elle se leva et se dirigea jusqu'à la chambre de Demetrius.

Elle s'arrêta devant la porte et hésita un instant. Puis elle leva la main et frappa trois coups discrets.

Pas de réponse.

Elle décida d'entrer, et poussa doucement la porte.

— Vous avez une toux inquiétante, Demetrius. Etes-vous malade ?

Il était debout au milieu de sa chambre, vêtu d'un simple caleçon américain. Son visage était livide.

— Que voulez-vous ? grommela-t-il d'une voix horriblement caverneuse.

— Je vous ai entendu tousser. Vous avez l'air malade. Votre mine est terrible...

— On a la mine que l'on peut.

— Mais vous êtes malade, Demetrius.

— C'est la deuxième fois que vous le dites, répondit-il, agacé.

Pas démontée pour autant, Maddison insista d'un ton décidé :

— Il faut voir un médecin.

— Je survivrai sans eux.

Il la considérait d'une telle manière qu'elle comprit qu'il souhaitait être seul.

Il passa une main sur son front et ferma les yeux un instant.

— Vous avez mal à la tête ? questionna-t-elle, soucieuse.

Il poussa un soupir.

— S'il vous plaît, Maddison. Lorsque je suis dans des états pareils, je n'aime pas que l'on s'apitoie sur moi. Je reste dans mon coin, et j'attends que cela passe.

— Ne restez pas debout, déclara-t-elle avec un aplomb qui la surprit elle-même. Vous allez attraper froid. Recouchez-vous. Je vais chercher des cachets.

Tout en marmonnant des mots qu'elle ne comprit pas, il retourna dans son lit.

Trois minutes plus tard, la jeune femme revenait avec un verre d'eau et des comprimés.

— Avalez ça, ordonna-t-elle en posant deux comprimés dans sa main.

Il lui lança un regard qui exprimait, mieux que des mots, ce qu'il pensait d'elle à cet instant précis, mais finit par obéir. Puis il laissa tomber sa tête contre son oreiller, les yeux fermés.

Elle posa doucement une main sur son front.

— Vous avez une sacrée fièvre, murmura-t-elle d'un ton préoccupé.

— N'en faites pas tout un drame, marmonna-t-il, toujours enroué.

Il se couvrit les yeux de la main, comme si la lumière le blessait, et murmura :

— Partez, à présent, Maddison. Ne vous occupez pas de moi.

Mais elle ne bougea pas.

— Il faut beaucoup boire, poursuivit-elle avec douceur. Est-ce que vous avez mal à la gorge ?

— Un peu.

— Des courbatures ?

Il ouvrit un œil à demi et soupira :

— Je n'ai pas besoin d'une infirmière…

— Il serait bon que vous avaliez quelque chose de chaud, un bouillon de…

L'écartant brusquement du bord du lit, Demetrius se leva et se précipita dans la salle de bains.

En l'entendant vomir, Maddison fut prise de pitié. A cet instant, il n'y avait plus de milliardaire odieux et sans scrupule, mais un homme qui souffrait.

Comme elle entendait les hoquets qui se répétaient, elle entra et vit qu'il était plié en deux de douleur.

Il se releva péniblement et s'appuya contre le mur, le front en sueur.

Elle prit une serviette, la passa sous le robinet d'eau chaude et nettoya sans hésiter son visage.

L'air à la fois égaré et étonné, Demetrius la regardait, acceptant son aide sans bouger.

— Cela ne faisait pas partie de notre contrat de mariage, murmura-t-il d'une voix faible.

— Je le sais bien, répondit-elle en décrochant un peignoir qui pendait pour le poser sur ses épaules.

— Et si vous preniez une douche pendant que je refais votre lit ?

Il la fixa d'un regard voilé par la fatigue.

— Pourquoi faites-vous cela, Maddison ?

— Ce n'est jamais drôle d'être malade.

— C'est encore moins amusant d'observer quelqu'un qui est malade.

106

— Je ne vous *observe* pas, je vous aide, c'est tout. Allez donc prendre une douche, bien chaude. Je m'occupe de votre lit.

Lorsqu'il revint dans la chambre, un peu plus tard, Maddison avait refait le lit et rangé quelques objets de manière à lui rendre la pièce plus agréable.

— Ça va mieux ? demanda-t-elle en scrutant son visage avec anxiété.

Il grommela un « oui » caverneux en hochant lentement la tête et s'assit sur le bord du lit.

Malgré elle, son regard s'attarda sur le ventre bronzé et plat de Demetrius qu'elle entrevoyait dans l'échancrure du peignoir.

Cela ne dura pas plus d'une seconde, mais ce fut suffisant pour Demetrius qui comprit aussitôt le trouble de la jeune femme.

L'incident ne se prolongea guère, et Maddison se reprit, lançant d'un ton dégagé :

— Voulez-vous quelque chose à boire ?

Et, sans attendre la réponse, elle se dirigea vivement vers le coin cuisine.

Lorsqu'elle revint, une tasse fumante à la main, elle vit qu'il s'était endormi.

Elle hésita, posa la tasse sur un meuble, puis revint près du lit, comme aimantée par ce visage qui reposait contre l'oreiller.

Elle détailla le front, rond et net, les cheveux en désordre, les oreilles délicates, la bouche sensuelle, terriblement attirante, le nez légèrement déformé, mais pas suffisamment pour abîmer le bel équilibre de ce visage aristocratique.

Elle s'était accroupie près du lit, émue. « Cet homme est mon mari, pensa-t-elle, bouleversée. En tous les cas mon mari officiel. C'est inouï. »

Elle se leva et approcha un siège afin de rester près de lui.

Au bout d'une heure, environ, Demetrius ouvrit les yeux.

— Vous me disiez à l'instant que vous alliez me chercher une boisson chaude, non ?

Elle laissa échapper un rire léger.

— Oui, mais c'était il y a une heure, au moins. Ne bougez pas. Je retourne vous préparer quelque chose. Un thé ?

— Ce sera parfait.

— Avec des tartines grillées ?

A ce moment, leurs regards se croisèrent et restèrent soudés l'un à l'autre l'espace de plusieurs secondes.

Quelque chose d'étrange et d'émouvant se tissait entre eux, indifférent au temps et au lieu.

— Des tartines ? répéta Maddison d'une voix douce.

Il acquiesça d'un très léger signe de tête.

— On dirait que vous avez déjà soigné quelqu'un qui était malade, remarqua-t-il en esquissant un sourire.

— Lorsque Kyle a été atteint d'une fièvre pernicieuse, je me suis occupée de lui. Mais c'était il y a plusieurs années déjà…

— Vous êtes une garde-malade de tout premier ordre, Maddison.

— Vous êtes trop bon.

— Mais non. C'est vrai.

Elle eut encore un rire feutré.

— Je vais m'occuper de votre thé.

De manière étrange, le lien qui venait de les réunir semblait ne pas vouloir se rompre. Maddison, curieusement, ne parvenait pas à s'éloigner de cet homme qui, même malade, possédait un magnétisme surprenant.

— J'en ai pour deux minutes, précisa-t-elle sans bouger pour autant.

— Prenez votre temps.

— Je ferai vite.

Il eut un sourire en coin, un sourire attendri.

— Arrêtez d'être polie, par pitié, marmonna-t-il.

— Je ne suis pas polie !

— Mais si !

— Mais non !

Ils éclatèrent de rire en même temps.

— Je suis très perplexe, grommela Demetrius. Depuis que je vous connais, vous vous montrez d'un caractère, disons… bougon à mon égard, quand ce n'est pas d'une humeur carrément détestable. Et puis, il suffit que je sois un peu malade pour que vous changiez totalement de comportement.

Il fit une pause, plissa les yeux, la considéra d'un regard malicieux, puis ajouta, flegmatique :

— Finalement, je me demande si je ne devrais pas continuer à être malade pour que nos rapports deviennent enfin cordiaux.

Maddison résista à l'envie de rire une nouvelle fois. Elle fronça les sourcils et déclara d'un ton volontairement sec :

— Ce n'est pas parce que je m'occupe de vous que vous devez vous méprendre sur mes sentiments. Vous parlez de rapports *cordiaux*. Nous ne connaîtrons jamais cette relation-là.

— Pourquoi ? s'étonna-t-il en haussant un sourcil.

— Parce que je ne vous aime pas. Voilà tout.

— Ah, ce que vous êtes dure avec moi ! soupira-t-il d'un ton indéfinissable.

— Du sucre, dans votre thé ? interrogea-t-elle d'une voix dégagée.

— Pas de sucre, merci.

— Du beurre, sur vos tartines ?

— Pas de beurre, merci.

Au moment où elle se dirigeait enfin vers le coin cuisine, il lança de manière gracieuse, presque musicale :

— Maddison !

Elle tourna la tête.

— Oui ?

— Merci. Merci Maddison, pour ce que vous faites pour moi.

Quelques instants plus tard, Demetrius avalait quelques gorgées de thé. Près de lui, Maddison jouait de manière machinale, quelque peu nerveuse, avec le bracelet de sa montre, l'air soucieux.

Il posa sa tasse sur le plateau et observa la jeune femme quelques instants à la dérobée.

— J'aimerais que vous me rendiez un service, demain, annonça-t-il posément. Il y a une réunion à 10 heures, et j'aimerais que vous me remplaciez.

— Mais vous serez peut-être rétabli, demain ! protesta-t-elle, surprise par cette étrange demande.

— Probablement pas. J'aimerais donc que vous voyiez Jeremy qui vous expliquera le but de la réunion.

Elle tenta de protester une nouvelle fois.

— Mais je ne connais rien au travail que vous faites ! Je ne serai d'aucune utilité !

— S'il vous plaît, Maddison. J'insiste. Vous me représenterez lors de cette réunion. Tout ce que je vous demande, c'est de noter les points principaux qui seront abordés. Ce n'est pas le bout du monde…

Elle eut soudain envie de lui confier la méfiance instinctive

110

qu'elle éprouvait à l'égard de Jeremy Myalls, mais elle préféra s'abstenir.

— Très bien, je ferai comme vous le souhaitez, assura-t-elle calmement.

Mais elle dormit mal, cette nuit-là, et entendit Demetrius se lever plusieurs fois. Elle fit aussi un mauvais rêve où apparaissait Myalls, brandissant une liasse de documents au-dessus de sa tête avec un sourire diabolique…

10.

Lorsque Maddison arriva dans la salle du conseil, elle fut
impressionnée par la gravité des visages et le sérieux des person-
nages qui avaient pris place autour de la grande table.

La réunion portait sur des investissements hôteliers prévus
par le groupe Papasakis dans la région de Sunshine Coast.

La jeune femme suivit à grand-peine les échanges, et elle
sursauta lorsqu'on lui demanda son avis sur l'échelonnement des
futurs travaux. Confuse, elle répondit par une vague formule
qui lui permit de contourner habilement le problème.

Jeremy Myalls se tenait fièrement en bout de table, faisant
office de président, et paraissait follement heureux de remplacer
Papasakis dans ce rôle.

Lorsque la réunion fut terminée, il vint s'asseoir près de
Maddison qui ne put réprimer un mouvement de recul. Cet
homme ne lui inspirait vraiment aucune confiance.

— Je souhaiterais discuter d'une ou deux choses avec vous,
chère madame, déclara-t-il avec un sourire affable.

— Ah ? fit-elle, très étonnée. A propos de quoi ?

— Une affaire privée. Mais nous serons mieux dans un
endroit tranquille. Il y a une cafétéria, de l'autre côté de la
rue. Allons-y, si vous le voulez bien.

— J'imagine que cela concerne le travail ? insista-t-elle, un peu méfiante.

— Absolument. Il s'agit d'affaires vous concernant *personnellement*.

Il avait appuyé de telle manière sur le dernier mot qu'elle frissonna malgré elle.

Manifestement, cet homme était dangereux et elle allait devoir se tenir sur ses gardes.

Ils s'installèrent dans un coin tranquille de la cafétéria, commandèrent un café, puis Myalls se pencha légèrement vers elle.

— Alors, madame Papasakis. Votre frère se plaît-il, dans le Territoire du Nord ?

Maddison eut brusquement l'impression que le souffle lui manquait. Elle se força à garder son sang-froid, mais elle était bouleversée : comment Myalls avait-il découvert la cachette de Kyle ?

Du ton le plus dégagé possible, comme si elle eût évoqué la tiédeur de l'air d'un jour de printemps, elle répondit posément :

— Vous savez, Kyle me donne peu de nouvelles. Il est jeune, il a d'autres préoccupations.

— C'est tout à fait normal, dans un ranch comme celui de Gilaroo.

Effondrée, Maddison comprit avec horreur que cet homme diabolique avait réussi à localiser Kyle.

C'était la catastrophe.

Elle serra les dents et fixa courageusement l'individu qui lui faisait face et venait de lui donner une raison supplémentaire de le détester.

— Vous voulez quoi, exactement ? interrogea-t-elle froidement. Ou plutôt, vous voulez *combien* ?

Le regard de Myalls glaça Maddison.

L'homme se cala d'un air satisfait contre le dossier de sa chaise et répondit d'une voix doucereuse :

— Je vois que nous nous comprenons...

Brusquement Maddison sentit son sang se glacer dans ses veines. Elle venait de réaliser que si Myalls connaissait la cachette de Kyle, il ne se gênerait pas pour en parler à Demetrius...

— Je n'ai pas d'argent personnel, expliqua-t-elle à mi-voix, en tentant de recouvrer un semblant de calme.

— Ce n'est pas de *votre* argent dont j'ai besoin, chère madame.

— Bien sûr... C'est l'argent de Demetrius qui vous intéresse, n'est-ce pas ?

Il la considéra un instant d'un regard de serpent, puis posa lentement ses deux mains bien à plat sur la table, comme pour donner plus de poids à ce qu'il allait dire.

— Voyez-vous, chère madame, je me suis renseigné. Je sais que vous ne vous êtes pas mariée de gaieté de cœur, je sais que vous détestez votre mari à cause de la pression qu'il a exercée sur vous, à cause aussi de la ruine où il a entraîné votre père...

Tout en l'écoutant, Maddison sentait qu'il la poussait progressivement dans un piège d'où il lui serait difficile de s'échapper.

Myalls avait très bien compris la situation. Mais ce qu'il ignorait, c'est que les choses avaient bien changé depuis peu.

Ce dont Jeremy Myalls était loin de se douter, c'est qu'à présent elle aimait Demetrius d'un amour profond et sincère.

Et surtout qu'elle était prête à tout pour le protéger, de même qu'elle était prête à tout pour protéger Kyle.

Elle possédait donc un atout précieux face à cet ignoble individu qui s'apprêtait manifestement à la manipuler.

Cette pensée la rasséréna.

— Qu'attendez-vous de moi ? lança-t-elle en fixant Myalls dans le blanc des yeux.

Il afficha le sourire du pêcheur au gros qui vient de capturer la plus belle prise de sa carrière.

— Je voudrais que vous m'aidiez à détourner les fonds destinés à la construction du complexe de Sunshine Coast.

Elle avala péniblement sa salive. Il voyait grand !

— Et de quelle manière ? lâcha-t-elle avec hauteur.

— C'est simple. Il suffit juste d'une écriture comptable qui me permettra de détourner les sommes destinées au complexe hôtelier.

— Ces sommes se montent à combien ?

Lorsqu'il lui annonça le chiffre, elle arrondit les yeux de stupeur. Elle était loin d'imaginer une telle somme !

— Et comment voulez-vous que je fasse pour détourner tout cet argent ?

— On peut faire beaucoup de choses avec l'homme qui partage votre lit…, grimaça-t-il avec un sourire suggestif.

— Nous ne dormons pas dans le même lit, si c'est à cela que vous faites allusion.

— Oh ! Alors Elena est toujours en scène…

Comme elle allait lui dire que cette histoire ne le concernait pas, elle pensa brusquement à Kyle et se retint.

— Elle est toujours sa maîtresse, en effet, se contenta-t-elle de répondre.

— Et vous n'êtes mariés que depuis vingt-quatre heures !

La jeune femme évita le regard ironique qu'il lui adressait.

— Finissons-en, marmonna-t-elle, agacée. Que voulez-vous au juste ?

— Oh, peu de chose en vérité : simplement votre numéro de compte bancaire. Ce sera suffisant pour effectuer les opérations que j'évoquais il y a un instant. Je m'occuperai de la suite et je vous tiendrai au courant.

Maddison ouvrit son sac, sortit son carnet de chèques et copia le numéro sur un bout de papier qu'elle tendit à Myalls.

— Je savais que je pouvais vous faire confiance, murmura-t-il, satisfait.

Effondrée, la jeune femme comprenait qu'elle marchait à présent sur une corde raide et qu'il ne lui serait pas aisé de se sortir de ce nouveau piège…

Le cœur serré par l'angoisse, elle demanda néanmoins de l'air plus dégagé possible :

— Dites-moi, comment avez-vous réussi à retrouver la trace de mon frère ?

— Oh, vous savez, on arrive à savoir beaucoup de choses en distribuant, çà et là, de gros billets. C'est fou ce que les gens se montrent coopératifs lorsque vous ouvrez votre portefeuille.

La lueur cynique et cupide qui passa dans le regard de Jeremy Myalls glaça Maddison.

Mais ce qui l'inquiétait avant tout, c'était de savoir si Myalls avait dit à Demetrius qu'il connaissait la cachette de Kyle.

— Demetrius est-il au courant ? s'enquit-elle avec une anxiété qu'elle eut du mal à masquer.

— Non, rassurez-vous. Mais il le sera au moindre écart de votre part.

Il laissa fuser un petit rire grinçant.

— Mais vous n'allez pas vous amuser à faire n'importe quoi, n'est-ce pas, chère madame ? Je vous salue bien, ajouta-t-il en se levant brusquement.

Elle le regarda s'éloigner, les tempes bourdonnantes. Son instinct ne l'avait pas trompée : c'était le diable en personne.

Comme elle allait se lever à son tour, elle remarqua qu'il n'avait même pas pris la peine de régler l'addition.

Ce qui ne l'étonna pas.

Lorsqu'elle revint à l'appartement, Demetrius était réveillé et avait l'air de mauvaise humeur.

— Vous en avez mis, un temps ! grommela-t-il dès qu'elle entra dans sa chambre.

— J'avais des petites courses à faire, après la réunion, répondit-elle aussitôt. Je vous ai apporté des vitamines.

— Des vitamines ? Mais je n'en ai pas besoin !

Sans s'émouvoir pour autant, elle sortit de son sac différents flacons qu'elle avait achetés à la pharmacie.

— Tout est une question de défenses, Demetrius. Nous avons tous les deux pris froid dans ce torrent. Moi, cela ne m'a rien fait, parce que j'ai une nourriture saine et équilibrée. Pour vous, c'est différent : vos défenses immunitaires sont amoindries par une nourriture choisie en dépit du bon sens…

— Dans mes établissements hôteliers, la cuisine est assurée par les meilleurs chefs ! s'exclama-t-il, vexé. Et pas en dépit du bon sens !

— Je n'en doute pas. Mais ils proposent des plats trop riches, mal équilibrés, trop gras… J'ai acheté de quoi vous préparer un consommé de poulet dont vous me direz des nouvelles.

Il la considéra un instant, les sourcils froncés, l'air circonspect.

— Pourquoi faites-vous cela pour moi ? marmonna-t-il d'un ton bourru. Cela fait-il partie de votre stratégie de vengeance ?

Elle esquissa un sourire pensif.

— Vous êtes malade, Demetrius. Et je vous soigne. C'est aussi simple que cela.

— Je ne suis pas d'accord. Les choses ne sont pas aussi simples. Du moins pas en ce qui *vous* concerne.

Un grand silence se fit.

Maddison, perdue dans ses soucis, repensa aux jours qui venaient de s'écouler.

Sa vie avait basculé d'un coup, dès le moment où Kyle, fier comme un grand guerrier, lui avait naïvement et triomphalement annoncé le sabordage du yacht de Papasakis. A partir de cet instant, elle avait perdu toute quiétude, et chaque jour n'avait été qu'un tourment recommencé.

— Alors ? reprit Demetrius, l'arrachant à ses sombres pensées. Cette réunion s'est-elle bien passée ?

— Très bien, lui assura-t-elle d'un ton dégagé tout en évitant soigneusement son regard.

— Jeremy vous a-t-il bien expliqué la situation ? Le complexe de Sunshine Coast constitue un projet grandiose, non ? Qu'en pensez-vous ?

Ce qu'elle pensait ? A une image de cauchemar : une corde raide tendue au-dessus de l'abîme, et elle, en plein milieu, oscillant dans un équilibre instable, entre Demetrius Papasakis et Jeremy Myalls.

Le moindre faux pas, et Kyle était perdu.

— J'ai pris quelques notes, pendant la réunion, marmonnat-elle en sortant nerveusement de son sac une feuille de papier pliée en quatre.

— C'est inutile. Jeremy est passé et m'a donné toutes les informations qui ont été abordées à la réunion.

— Quand est-il passé ? demanda-t-elle, soudain effrayée.

— Tout à l'heure.

Pendant deux ou trois secondes, la jeune femme fut envahie par une affreuse panique. Si Myalls avait révélé à son patron ce qu'il savait sur Kyle, le pire était à redouter.

— Je vais préparer votre bouillon de poulet, annonça-t-elle précipitamment.

— C'est inutile, je n'ai pas faim.

— Il faut que vous avaliez quelque chose. Ce sera très léger, vous allez voir !

— Attendez, Maddison ! dit-il d'une voix vibrante.

— Oui ?

— J'apprécie vraiment ce que vous faites pour moi, murmura-t-il. Même si je ne comprends pas tout à fait pourquoi vous le faites.

— Je ne le comprends pas non plus moi-même, vous savez, répondit-elle d'un ton pensif.

Une demi-heure plus tard, elle revenait dans la chambre de Demetrius portant un plateau sur lequel elle avait posé un bol fumant et odorant et deux tranches de pain grillé.

Il ne toucha au bouillon que du bout des lèvres et semblait exténué.

Inquiète, elle approcha une chaise de son lit.

— Il serait plus raisonnable d'appeler un médecin, dit-elle, soucieuse.

— Ce serait tout à fait inutile. Les médecins ne peuvent rien contre les virus. Il faut que cela passe.

— C'est étrange, Demetrius. Quand vous êtes malade, vous paraissez un autre homme.

Il souleva un sourcil, l'air étonné.

— Ah ? Et un homme comment ? Plus intéressant ?

Elle sourit.

— Oui, un homme plus intéressant… Comment dirais-je ? Moins *redoutable*.

— Tiens donc, fit-il, surpris.

Il la considéra un instant en silence, puis reprit à voix basse, sur le ton de la confidence :

— Vous me faites du bien, Maddison. Finalement, j'aime bien vous avoir près de moi.

— Ce n'est pas ce que vous disiez hier.

— C'est ce que j'affirme maintenant, assura-t-il avec un sourire plein de douceur.

Touchée par sa bienveillance nouvelle, Maddison ne put s'empêcher de murmurer, comme si elle se parlait à elle-même :

— Finalement, vous êtes bien plus agréable à vivre quand vous êtes malade…

Il laissa échapper un rire bref et discret, puis la fixa d'un regard ému.

— Je me suis comporté d'une manière plutôt dure avec vous, n'est-ce pas ? questionna-t-il, songeur.

Elle détourna son regard, intimidée par la flamme sombre qui brûlait dans ses yeux.

— C'est-à-dire…, commença-t-elle, hésitante.

— J'ai été un véritable goujat, non ?

— Eh bien, pour tout vous dire…

— Un affreux bonhomme, avouez-le, Maddison.

— Oh, mais je pense que…

— Tout à fait insupportable, non ?

— Je n'irais peut-être pas jusque-là, mais…

— Méphistophélique !

Elle eut un rire nerveux.

— Vous avez de ces termes, Demetrius !

— Je sais que je peux être parfaitement odieux, quand je m'y mets.

« Quel étrange revirement », pensa-t-elle, bouleversée par la douceur et la tendresse soudaines dont faisait preuve cet homme qui était, sur le papier, son mari mais qui restait pourtant un inconnu.

Un redoutable inconnu...

Il tendit la main vers elle, la paume tournée vers le haut.

Sans hésiter, elle posa sa main dans cette grande main qui se présentait à elle de manière simple et tendre.

Il la serra doucement et l'attira imperceptiblement vers lui.

— Maddison, vous êtes une femme extrêmement charmante, vous savez... J'ai beau être malade, le désir que vous suscitez en moi n'en est pas moins présent...

Bouleversée, Maddison ne répondit pas.

Tout l'amour qu'elle éprouvait pour cet homme montait à la surface avec impétuosité.

Elle le désirait.

Elle l'aimait.

— Demetrius, murmura-t-elle dans un souffle. Je crois que...

— Dites-moi..., la pressa-t-il, fiévreux.

— Je me demandais si... Enfin je me disais que...

Confuse, le cœur battant, elle n'avait qu'une envie : se jeter dans les bras de cet homme qu'elle désirait de tout son corps, de toute son âme.

Il l'attira doucement contre lui, et elle se laissa faire, chavirée.

Il posa ses lèvres sur les siennes ; elles étaient chaudes et douces.

Elle offrit sa bouche sans retenue.

Le baiser qu'ils échangèrent fut un baiser de tendresse et de passion. Lorsque leurs lèvres se séparèrent, Demetrius commença à défaire ses vêtements. Elle l'aida, embrasée par une soudaine fièvre amoureuse.

Il ouvrit le lit, et elle vint se blottir contre lui, ardente et impatiente.

— J'ai l'impression que ma maladie s'est complètement envolée, murmura-t-il d'une voix éraillée par l'émotion et le désir.

— Vous n'avez plus l'air du tout malade…, lui confirma-t-elle en souriant.

— Cette fois-ci, je serai beaucoup plus délicat, lui promit-il d'un ton fervent tandis que ses lèvres la frôlaient.

Elle était à présent allongée sur le dos, entièrement nue, prête à laisser l'homme qu'elle aimait prendre peu à peu possession de son corps.

La tête de Demetrius descendit le long de son ventre, et sa langue vint caresser la zone la plus sensible de tout son être.

Elle ferma les yeux, électrisée par l'intensité et la violence du plaisir qui la submergeait.

Et bientôt, il fut au-dessus d'elle, la regardant avec ferveur, prêt à la pénétrer.

Il se cala contre son corps de la manière la plus douce et la plus délicate possible. Tendu à l'extrême, il la frôla à plusieurs reprises, cherchant le voluptueux passage.

— Si je vous fais mal, dites-le-moi, articula-t-il à voix basse et rauque.

Elle lui sourit et le saisit par les hanches pour l'encourager à entrer en elle. Un instinct puissant et lointain l'avait envahie tout entière. Elle avait besoin d'être remplie de lui, totalement comblée…

Elle ferma les yeux et retint son souffle lorsqu'il entra très doucement en elle.

Le mouvement de va-et-vient qu'il se mit à imprimer à leurs deux corps commença à lui faire perdre la tête.

— Laisse-toi aller, mon amour, murmura-t-il à son oreille. Ouvre-toi…

— Oh oui… Oui… Viens, viens, viens ! cria-t-elle, ivre de volupté.

Entraînée dans la spirale d'un plaisir fulgurant, elle criait son amour avec des mots insensés, des gémissements tour à tour rauques et aigus.

Au summum de leur étreinte enfiévrée, Demetrius poussa lui aussi un cri de jouissance, puis se laissa tomber contre elle, comme fusillé de plaisir.

Elle enroula avec ferveur ses jambes autour de ses reins, désireuse de le garder en elle encore un peu. Mais, quelques instants plus tard, il roula sur le côté, épuisé.

Elle se souvint alors brusquement qu'il était malade, et éprouva une vague d'amour toute différente pour le cadeau qu'il venait de lui offrir.

— Tu es bien, mon tendre amour ? murmura-t-il.

— Oh oui ! Je me sens merveilleusement bien !

A cet instant précis venaient de s'envoler toutes les hostilités qui les avaient séparés jusqu'alors, tous les mépris, toutes les haines, toutes les guerres.

Elle reposait contre lui, tout enivrée des plaisirs inouïs qu'elle venait de connaître, quand il approcha son visage et posa ses lèvres contre son oreille.

— Je crois que j'ai encore envie de toi…

11.

Plus tard dans la soirée, Maddison, lovée dans les bras de Demetrius, songea qu'il serait tentant, à présent, de faire comme si leur mariage était un vrai mariage d'amour.

Mais à la réflexion, elle se dit que ce serait plutôt une folie pure et simple.

Ils restèrent ainsi un long moment dans les bras l'un de l'autre, silencieux, repus d'amour. Heureux.

Plus tard, après avoir plus ou moins somnolé, Maddison entendit Demetrius qui lui demandait, d'une voix ensommeillée, d'éteindre la lumière.

— Oh, j'aimerais bien garder un peu d'éclairage, murmura-t-elle. Vous voulez bien ?

Même blottie dans les bras de son amant, sa peur du noir ne la quittait pas.

Lorsqu'elle s'éveilla, le lendemain matin, Demetrius était déjà debout, habillé de pied en cap avec une élégance étonnante. Il semblait prêt pour se rendre au travail.

Comme par enchantement, sa maladie semblait avoir disparu. Maddison n'en croyait pas ses yeux. Elle s'appuya sur ses coudes et se redressa.

— Pourquoi ne m'avez-vous pas réveillée ? lui reprocha-t-elle.

— Je n'en voyais pas l'utilité.

Elle le considéra un instant, surprise de le voir si vite rétabli.

— C'est incroyable, reprit-elle en souriant. Vous étiez si malade hier... Etes-vous sûr d'aller bien ?

— Absolument.

— Vous êtes un homme vraiment à part, murmura-t-elle, sidérée.

Un sourire éclaira subrepticement son visage. Puis la mine grave de l'homme d'affaires reprit le dessus, et il demanda, presque sèchement :

— Que comptez-vous faire, aujourd'hui ?

— Je n'en ai aucune idée. Qu'ai-je la *permission* de faire ? Ou plutôt, que dois-je *ne pas faire* ? questionna-t-elle, railleuse.

— Vous connaissez la règle du jeu, n'est-ce pas ?

— Sans aucun doute : pas de familiarité avec le personnel de l'hôtel, pas de rendez-vous amoureux, pas de...

— Très bien, très bien, la coupa-t-il, agacé. Je vous demandais simplement si vous aviez une idée quelconque pour la journée. Faire des achats, par exemple ?

— Des achats ? reprit-elle en faisant la moue. Cela ne me tente pas énormément...

— Mais toutes les femmes adorent cela !

— C'est fort possible. Mais moi, je ne suis pas « toutes les femmes ».

Demetrius secoua la tête et n'insista pas.

Il se pencha sur son front, y posa un baiser bref et annonça d'une voix mécanique :

— Bon, j'y vais. Je vous téléphonerai dans la journée.

Comme il s'apprêtait à ouvrir la porte pour sortir, il se retourna.

— N'oubliez pas que je vous observe, Maddison, la prévint-il. Ne vous avisez pas de faire… n'importe quoi.

A la fois glacée par la menace et révoltée, elle rétorqua sèchement :

— Message reçu. L'Oncle Sam, enfin je veux dire l'Oncle Demetrius veille sur moi.

Maddison, après s'être demandé à quoi elle allait bien pouvoir occuper sa journée, décida finalement de faire quelques courses. Demetrius lui avait offert une carte de crédit en précisant qu'elle pouvait s'acheter tout ce dont elle avait envie. Pourquoi ne pas en profiter ?

Elle flâna durant l'après-midi dans des magasins, effectua une série d'achats qu'elle fit livrer à l'hôtel, puis continua sa promenade au hasard.

Comme elle passait à proximité du Jardin Botanique, elle fit une halte devant l'édifice où elle s'était officiellement mariée une semaine plus tôt.

Mon Dieu, que les choses avaient changé pour elle !

Elle était devenue la femme de Demetrius Papasakis, au sens biblique du terme.

Mais pour combien de temps ?

Et pendant combien de temps se balancerait l'épée de Damoclès suspendue au-dessus de sa tête ? Kyle était toujours dans son exploitation agricole, dans le Nord, et toujours à la merci d'une arrestation, si Demetrius décidait brusquement qu'il devait en être ainsi. Il avait certes promis qu'il laisserait son frère tranquille, mais était-il un homme de parole ?

Comme elle marchait droit devant elle, tout à ses réflexions, elle aperçut Jeremy Myalls. C'était bien la dernière personne

qu'elle avait envie de voir, mais elle ne pouvait plus l'éviter ;
lui faisant signe de la main, il marchait droit à sa rencontre.

— Quelle bonne surprise ! s'écria-t-il avec un sourire des
plus hypocrites.

Il l'avait suivie, sans aucun doute. Cet homme était un
redoutable serpent.

— Bonjour, monsieur Myalls, dit-elle avec froideur.

— Appelez-moi donc Jeremy ! Nous sommes des amis, à
présent, non ?

Un sourire amer marqua le visage de Maddison. Cet individu était le pire ennemi qu'elle eût jamais eu. Il était bien
plus redoutable que Demetrius, car ce dernier avait toujours
joué franc-jeu, alors que Myalls procédait par reptations
sournoises.

— Voulez-vous prendre un café ? proposa-t-il gaiement.

Elle leva les yeux sur lui, méfiante et prête à prétexter un
rendez-vous urgent. Mais mieux valait ne pas refuser, même
si elle n'avait absolument pas envie de se trouver en tête à
tête avec lui.

— Si c'est *vous* qui me l'offrez, pourquoi pas ? ironisa-t-elle
en faisant allusion à l'addition qu'il avait *oublié* de régler la
dernière fois qu'ils s'étaient vus.

Mais il ne réagit pas.

Ils entrèrent dans le premier café qu'ils trouvèrent et s'installèrent, à une petite table, face à face.

— Alors monsieur Myalls, votre plan se déroule-t-il comme
vous l'avez prévu ?

Il la fixa de son regard glacial et ses lèvres s'écartèrent dans
un sourire de saurien.

— Mais oui, parfaitement. Demetrius ne se doute de
rien.

— Le transfert des fonds a-t-il été effectué ? insista-t-elle, se rappelant qu'une énorme somme d'argent devait transiter prochainement par son compte en banque, comme l'avait exigé Myalls.

— L'argent sera sur votre compte dès demain matin, précisa-t-il.

Elle lui adressa un bref regard et poursuivit, ironique :

— Ne craignez-vous pas que je n'utilise ces millions à des fins personnelles ?

La paupière de Myalls vibra un dixième de seconde.

— S'il venait à manquer un seul centime de ce dépôt provisoire qui a été fait sur votre compte, des mesures immédiates seraient prises, dit-il d'une voix aux inflexions impitoyables.

Elle frémit et détourna la tête.

— Demetrius serait immédiatement informé du lieu exact où se cache votre frère, ajouta-t-il.

— Mais moi, qu'ai-je à gagner dans cette opération ? questionna-t-elle avec une grimace de dégoût.

— La satisfaction de faire regretter à jamais à Demetrius le choix qu'il a fait en vous forçant à l'épouser. Quelle belle revanche, n'est-ce pas ?

Elle tressaillit, soudain affolée par les conséquences de cet odieux marché conclu avec Myalls.

— Pourquoi détestez-vous autant Demetrius ? reprit-elle après un temps d'hésitation.

— Parce qu'il m'a pris la femme que j'aimais. Et cela, je ne le lui pardonnerai jamais.

Maddison, remuée malgré elle par cet aveu, demeura silencieuse un instant. Mieux valait ne pas faire de commentaires. Mais elle se demanda néanmoins s'il lui avait bien dit la vérité. Il se pouvait tout aussi bien que la trahison de Myalls à l'égard de son patron n'ait aucun rapport avec la jalousie. Elle ne faisait aucune confiance à cet homme.

— Lorsque Demetrius s'apercevra du détournement d'argent que vous aurez effectué, il sera certainement fou furieux, dit-elle soudain, pensive. Ne craignez-vous donc pas un retour de bâton de sa part ?

— Quand il se rendra compte de la chose, je serai à des milliers de kilomètres et l'on ne pourra pas me retrouver !

— Demetrius est un homme très intelligent, insista-t-elle pourtant. Et il possède un sixième sens qui l'avertit de tout. Il est fort possible qu'il se méfie déjà...

Myalls éclata d'un rire sardonique. Il avait de vilaines dents, et Maddison détourna la tête, écœurée par le personnage.

— Vous n'avez pas à vous faire de souci, chère madame ! Demetrius ne sait rien et ne pourra rien deviner de notre petit secret. Comme pour le malheureux épisode de votre père, il me fait une confiance absolue.

Une pique incandescente traversa le cœur de Maddison. Ce dont elle se doutait plus ou moins depuis qu'elle connaissait Demetrius venait de lui apparaître clairement : c'était donc Myalls qui était à l'origine du renvoi de son père !

— C'est vous qui avez fait chasser mon père, n'est-ce pas ? interrogea-t-elle d'une voix blanche. De quelle manière avez-vous procédé ?

— Votre père avait un soudain besoin d'argent pour rembourser une des dettes de votre frère. Rien de plus simple que de soutirer quelques liasses dans la caisse annexe de la société. Et de faire courir le bruit que ce pauvre Jones avait bien des soucis avec son fils...

— Et vous avez fait cela dans le dos de Demetrius ?

— Evidemment !

Bouleversée, elle se rendait compte du traquenard qu'avait tendu ce misérable à son pauvre père.

Elle eut une soudaine envie de saisir le premier couteau

129

à sa portée sur l'une des tables pour le planter dans la gorge de Myalls, et elle dut faire appel à toute son énergie pour reprendre calmement sa respiration.

— Saviez-vous que mon père est mort peu de temps après d'une crise cardiaque consécutive à sa mise à pied ? Saviez-vous cela ?

Myalls écarta les bras d'un air fataliste.

— C'est Demetrius qui lui a donné son congé, précisa-t-il avec un sourire mauvais. Pas moi.

C'en était trop. Elle se leva, à bout.

— A plus tard ! lança Jeremy Myalls d'un ton satisfait.

Lorsqu'elle revint à l'hôtel, Maddison constata que l'on avait livré tous les achats qu'elle avait effectués.

Encore sous le coup de l'indignation, elle rangea les différents vêtements dans les placards de la pièce attenante à la chambre de Demetrius. Mais ces gestes simples ne la calmèrent pas pour autant. Elle se rendait compte qu'elle aussi avait été prise dans les filets sataniques de Myalls et qu'elle n'avait aucun moyen de défense.

Demetrius revint en début de soirée et posa ses lèvres sur celles de Maddison dans un baiser bref, à la limite du conventionnel.

Surprise, elle songea que ce baiser était d'une nature toute différente de celle des baisers échangés plus tôt dans leurs étreintes passionnées.

« Est-ce déjà le train-train du mariage ? se demanda-t-elle avec amertume. Un baiser du bout des lèvres, à la va-vite… »

— Avez-vous passé une bonne journée, Demetrius ?

Il marmonna une réponse impossible à décrypter. Ce n'était ni un oui, ni un non, mais un bougonnement distant et fatigué.

— C'est fou ce que vous êtes tendre, ce soir, lança-t-elle sur un ton railleur.

Il tourna la tête et sembla soudain se rendre compte de sa présence.

— Vous m'en voulez encore ? demanda-t-il d'une voix bourrue.

Le discret parfum de son eau de toilette flotta dans l'air un instant lorsqu'il enleva sa veste pour la poser sur un cintre.

Tout d'un coup, la jeune femme fut consciente de l'absurdité de cette situation : mariée par obligation à un homme qu'elle n'aimait pas et qu'elle aimait, qu'elle désirait et rejetait à la fois. Elle devait certainement devenir folle.

Elle essuya les larmes qui perlaient à ses yeux.

Demetrius s'en aperçut aussitôt.

— Mais vous pleurez, Maddison ! murmura-t-il, touché. Ne pleurez pas…

Rien de tel qu'un conseil de cet ordre pour décupler un chagrin que l'on s'efforce de retenir. Les sanglots montèrent aussitôt à sa gorge sans qu'elle puisse rien faire pour les retenir.

— Ex… excusez-moi, bégaya-t-elle, désespérée. Il y a des jours où c'est tr… trop difficile…

Il la prit contre lui et caressa doucement ses cheveux.

— Et si nous décidions d'une paix provisoire ? proposa-t-il avec douceur.

— Pou… pourquoi « provisoire » ? répondit-elle dans ses larmes.

— Je n'aime pas les engagements à long terme, soupira-t-il, tout contre son oreille.

— Et moi, je n'apprécie guère les engagements à court terme. Ils témoignent d'une absence totale de confiance !

Elle se dégagea brusquement de ses bras et s'essuya les yeux d'un geste rageur.

— Faites-vous confiance aux gens en général, Demetrius ?

Il réfléchit quelques instants avant de répondre :

— Il y a des gens qui ont toute ma confiance. Voyez-vous, Maddison, c'est ce qui m'a désolé avec votre père. Je lui faisais une confiance absolue, et il a abusé de cette confiance.

Le cœur de la jeune femme bondit dans sa poitrine et elle se retint de lui crier : « Ce n'est pas mon père, dont il fallait se méfier ! C'est de Jeremy Myalls ! C'est lui qui vous a volé. C'est lui la canaille ! »

Mais elle ne pouvait. L'enjeu était trop important.

— Quelle est la personne qui vous a le plus déçu ? insista-t-elle, poussée par un irrésistible besoin de savoir.

Il la dévisagea comme si elle venait de prononcer le pire des jurons.

— Ce que vous êtes agaçante avec vos questions ! grommela-t-il, l'air exaspéré. Les choses ne sont-elles pas claires entre nous depuis le début ? Je vous ai proposé de m'épouser pour une période bien définie. Un point c'est tout.

Elle poussa un soupir rageur.

— Il n'est pas dans mes habitudes de me mettre dans le lit d'un inconnu…

— Vous n'étiez pas forcée d'entrer dans le mien !

Elle serra les poings, furieuse.

— Oh, très bien ! Puisque vous le prenez ainsi…

Il la considéra d'un regard sombre.

— Tout ce que je vous demande, c'est de remplir le rôle que je vous ai expliqué. Rien de plus.

Il s'interrompit et ajouta sur un ton moins tendu :

— Ah, j'oubliais ! Ce soir, nous avons un dîner. Je vous emmène au restaurant. Si vous pouviez vous habiller en conséquence, j'en serais ravi.

— Cela tombe très bien, j'ai acheté tout à l'heure une très jolie robe pour le soir.

Elle entendit un marmonnement approbateur et soupira. Il fallait éviter les conflits autant que possible.

Et attendre patiemment.

Elle n'avait pas le choix.

12.

Maddison, qui avait choisi d'étrenner sa robe achetée le jour même, faisait face à Demetrius dans un angle du luxueux restaurant où il avait réservé une table isolée.

Leurs regards se croisèrent un instant, puis Demetrius demanda d'une voix feutrée :

— Parlez-moi un peu de vous, Maddison.

— De moi ? Je ne suis pas sûre de... d'être très intéressante, murmura-t-elle sur un ton hésitant.

— Allons donc ! fit-il avec un accent encourageant.

Elle joua machinalement avec la flûte de champagne qu'un serveur venait de remplir.

— J'ai eu une enfance à peu près heureuse jusqu'à la mort de ma mère. J'avais alors dix ans. Et c'est une vie toute différente que j'ai connue par la suite. Mon père faisait ce qu'il pouvait pour nous élever, mon frère et moi.

Elle s'interrompit, fronça les sourcils, puis reprit d'un air soucieux :

— Kyle a cinq ans de moins que moi. C'est un garçon qui n'en a toujours fait qu'à sa tête. Il a dû faire toutes les bêtises possibles et imaginables : des vols à l'étalage, pour le sport, des vols de voitures, par désœuvrement, des...

— ... Des sabordages de bateaux ?

— Un seul ! Mais de taille…

Un sourire amusé éclaira un instant le visage de Demetrius. Il paraissait ne plus se soucier de son yacht. La page semblait être tournée. Maddison se demanda s'il était prêt à passer l'éponge. Peut-être pourrait-elle bientôt reprendre sa liberté.

Et Mme Maddison Papasakis redeviendrait alors tout simplement Maddison Jones.

A cette pensée, elle ressentit un curieux sentiment, mélange de soulagement et de mélancolie. Le rôle qu'elle avait accepté de jouer n'était pas désagréable après tout.

— Et vous ? reprit-elle après un moment. Vous ne m'avez jamais parlé de vous.

Il poussa un soupir, la considéra une demi-seconde d'un regard pensif, saisit délicatement son verre, but une gorgée, puis murmura paisiblement :

— Pas terrible, résuma-t-il en fixant les bulles de manière rêveuse. Ma mère est partie quand j'avais cinq ans. Et l'on m'a fait comprendre alors qu'il était inutile de la regretter.

Tout était dit, ou presque, et Maddison comprit qu'il ne fallait pas insister sur ce sujet.

— Dites-moi, Maddison, enchaîna-t-il d'un ton enjoué. Qu'aimeriez-vous faire si vous aviez tout votre temps et, naturellement, pas de problèmes d'argent ?

— De la musique ! répondit-elle immédiatement. J'apprendrais la guitare, le piano, la flûte…

Elle s'interrompit, lui sourit et poursuivit d'un ton presque complice :

— Et vous, Demetrius ? Que feriez-vous si vous disposiez de toute votre liberté ?

— Je passerais mon temps dans la nature, au milieu des bois, loin de toute habitation, près des oiseaux. Et puis j'écouterais le silence, cette musique suprême... J'aime tellement le silence...

Il but de nouveau un peu de champagne et considéra la jeune femme de manière pensive, les sourcils légèrement froncés.

— Pourquoi avez-vous accepté de m'épouser, Maddison ?

— Je crois que je vous l'ai déjà dit : pour protéger Kyle. Vous m'avez bien fait comprendre que c'était le seul moyen...

— Il n'y avait pas d'autres raisons ? insista-t-il, le regard sévère.

— Quelles autres raisons pouvait-il y avoir ?

— Une fois, vous m'avez dit que vous me feriez regretter un jour de vous avoir épousée. Je n'ai pas oublié cette menace, et depuis, je me demande de quelle manière vous avez l'intention de la mettre à exécution.

Maddison haussa les épaules.

— J'ai dit cela sans y penser parce que vous m'aviez poussée à bout. Il ne faut pas prendre au mot ce genre de paroles qui vous échappent sous le coup de la colère.

Le garçon qui venait prendre les commandes interrompit heureusement un dialogue qui s'engageait sur une pente dangereuse.

Maddison, soulagée, fit son choix, puis la conversation reprit sur un mode bien plus léger.

Lorsqu'ils eurent terminé, Demetrius proposa à la jeune femme de terminer la soirée dans une boîte de nuit à la mode. Elle donna son accord du bout des lèvres ; elle n'aimait guère ce genre d'endroits qu'elle trouvait en général beaucoup trop bruyants.

Mais lorsque Demetrius l'enlaça pour un slow langoureux, elle retrouva instantanément l'intense désir qu'elle avait déjà éprouvé pour lui. Elle n'eut plus alors qu'une idée en tête : rentrer chez eux, à l'hôtel, le plus vite possible pour faire passionnément l'amour...

Plaquée tout contre lui, elle se laissait bercer par la musique, n'osant rompre ce moment magique où le désir que l'on a de l'autre devient peu à peu insoutenable...

— On rentre ? murmura brusquement Demetrius, tout contre son oreille.

— Oui..., répondit-elle d'un ton vibrant.

A peine arrivés dans leurs appartements, ils s'enlacèrent avec fougue, leurs bouches se dévorant avec une passion qui semblait jaillir de toutes parts.

Ils roulèrent sur le tapis du salon, brûlants d'impatience.

Et ce fut une nouvelle fois un raz de marée dévastateur qui s'abattit sur eux.

Comme Maddison s'arrachait langoureusement à leur étreinte passionnée, Demetrius l'interrogea des yeux.

— Il faut que j'aille à la salle de bains, souffla-t-elle. J'en ai pour une minute.

— Attendez ! lança-t-il sur un ton inquiet.

— Puisque je vous dis que je reviens...

— Il faut que nous mettions tout de suite les choses au point, Maddison. C'est grave.

Elle le dévisagea, déroutée.

— Vous ne prenez pas la pilule ? reprit-il, tendu. Ou d'autres moyens de contraception ?

Il avait repris le vouvoiement comme il avait toujours coutume de le faire après leurs ébats passionnés. D'abord surprise, Maddison avait fini par y trouver un certain charme.

— Je ne suis pas enceinte, Demetrius, si c'est cela qui vous inquiète.

— Comment pouvez-vous en être sûre ?

— Je connais mon corps, et je sais que je ne suis pas enceinte. D'ailleurs je vais avoir mes règles dans peu de temps.

Elle leva les yeux vers lui, affronta son regard, et ajouta d'une voix bien posée :

— Ne vous faites pas de souci. Ce n'est pas moi qui irai vous poursuivre dans une reconnaissance de paternité.

— Mais cela ne me ferait pas peur ! rétorqua-t-il aussitôt avec fougue.

Stupéfaite, elle le considéra quelques secondes sans répondre.

— Pourriez-vous préciser votre pensée, Demetrius.

— Je voulais simplement dire que j'ai trente-quatre ans et que je n'ai pas envie d'attendre encore des années. Je serais tout à fait prêt pour avoir un garçon, ou une fille, ou les deux...

Comme elle le fixait avec des yeux ronds, il ajouta en souriant :

— Quel mal y a-t-il à vouloir fonder une famille ?

Elle serra convulsivement ses mains l'une contre l'autre, jusqu'à la douleur.

— Vous n'attendez tout de même pas de moi que... que je...

— Pourquoi pas ? Vous êtes ma femme, non ?

— Je suis votre femme uniquement sur le papier !

— Vous l'avez été de manière bien plus... *concrète*, corrigea-t-il avec un sourire. Pas plus tard que tout à l'heure ! L'auriez-vous oublié ?

— Il s'agissait simplement d'un moment de... d'égarement, de folie...

Elle ramassa fébrilement ses vêtements éparpillés sur le sol, et les serra contre sa poitrine, tandis qu'il la considérait d'un regard triste.

— Vous savez très bien, Maddison, que ce que nous avons vécu tout à l'heure était bien plus fort qu'un *égarement*, comme vous dites, et bien plus sensé que la folie que vous évoquez. J'aimerais que vous repensiez calmement à ce que je viens de vous proposer.

— C'est tout réfléchi, marmonna-t-elle. C'est non.

— Est-ce votre dernier mot ?

— Bien sûr, que c'est mon dernier mot !

— Quand serez-vous définitivement fixée ?

— Mais puisque je vous dis que c'est non ! Vous êtes vraiment bu...

— Je parlais de vos règles, coupa-t-il sèchement.

— Elles viendront demain ou après-demain, grommela-t-elle avec humeur.

— Vous n'en avez pas l'air sûre...

— Je ne suis pas une pendule suisse non plus ! Ah, ce que vous êtes agaçant, avec vos questions indiscrètes !

— Il est tout à fait possible que vous portiez déjà un enfant de moi, articula-t-il lentement d'une voix rêveuse en la contemplant.

Maddison tressaillit et posa instinctivement une main sur son ventre.

— Je ne suis pas enceinte, c'est certain, lui assura-t-elle à voix basse en se dirigeant vers la salle de bains.

— Maddison !

— Quoi encore ?

— Je vous interdis de revoir Jeremy Myalls.

Elle se figea, le cœur battant.

Comment savait-il qu'elle l'avait vu ?

— Pou... pourquoi ? balbutia-t-elle.

— Je ne lui fais plus confiance.

— Ah ? murmura-t-elle d'une petite voix.

Demetrius se leva d'un bond et reprit ses vêtements d'un geste vif et précis. En moins d'une minute, il s'était rhabillé.

— Vous partez ? s'étonna-t-elle, anxieuse. Où allez-vous ?

— Je sors. Y voyez-vous un inconvénient quelconque ?

Avant même d'avoir obtenu une réponse, il avait disparu.

Il ne rentra pas de la nuit.

Dans la matinée, Maddison se rendit dans la plus proche agence bancaire et inséra sa carte.

Lorsqu'elle vit le chiffre qui s'inscrivait sur l'écran, elle poussa un petit cri. En plus de la somme détournée par Myalls, le total de son compte était faramineux. Jamais elle n'aurait imaginé posséder autant d'argent.

Bien entendu, la plus grosse partie devait être remise à Myalls. Mais après avoir longuement pensé et repensé à cette ignoble tractation, la jeune femme avait décidé de ne pas céder à ses exigences : cet argent appartenait à Demetrius, et c'est à Demetrius qu'elle le remettrait.

Ce dernier la comprendrait, elle en était sûre, et lui pardonnerait. Elle allait donc retirer la somme en liquide, ranger l'argent dans un sac pour le lui remettre. Elle ne pouvait agir autrement.

Elle entra d'un pas résolu dans l'agence et demanda en combien de temps elle pourrait disposer de la somme. On lui répondit que ce serait assez long, car cet argent provenait de capitaux étrangers, et on lui remit un bordereau attestant du montant de la transaction qui avait été faite sur son compte.

Au moment où elle sortait de l'établissement, une voix la héla.

— Maddison, Maddison ! C'est moi !

— Kyle ! s'écria-t-elle, alarmée. Mais que fais-tu là ? Tu ne devrais pas être ici ! C'est de la folie !

Le jeune garçon se jeta dans les bras de sa grande sœur et l'étreignit avec fougue.

— Ne t'inquiète pas. Tout va bien ! Il fallait absolument que je te parle. Mon patron m'a donné de quoi acheter le billet d'avion, et me voici !

Maddison jeta un regard effrayé autour d'elle.

Il suffisait que Demetrius, Myalls ou n'importe qui donne l'alerte pour que Kyle soit arrêté sur-le-champ.

— Il faut absolument que je te parle, répéta Kyle d'un ton impatient.

— Montons à l'appartement. Nous y serons plus tranquilles. Viens !

A peine entré, Kyle déclara d'une voix ferme :

— Ce n'est pas moi qui ai coulé ce yacht, Maddison. Je te le jure : ce n'est pas moi !

— Mais tu m'as annoncé toi-même que c'était toi ! Tu en étais même très fier !

— Je *pensais* l'avoir coulé, mais ce n'est pas moi. Figure-toi que je suis tombé sur un article de journal qui expliquait la manière dont le yacht avait été saboté. C'est une grenade explosive, placée sous la coque, qui l'a envoyé au fond de la baie. Moi, j'avais tenté le sabotage quelques heures plus tôt en dévissant une vanne dans la cale de manière à ce que le bateau prenne l'eau.

— Alors, ce… ce n'est pas toi qui as placé cette grenade sous la coque ?

— Tu me connais, je nage très mal et j'ai peur de l'eau. J'aurais été totalement incapable de plonger sous la coque, à trois ou quatre mètres de profondeur, pour placer la grenade.

— Mais alors ? Qui a placé cet explosif ?

13.

— Je ne le sais pas encore, murmura Kyle, pensif. Mais j'ai l'impression que nous n'allons pas tarder à l'apprendre.

— Qu'est-ce qui te fait dire ça ?

Kyle releva fièrement le menton.

— Figure-toi que Demetrius Papasakis sait où je suis, depuis le début.

— Quoi ?

Les yeux agrandis de stupeur, Maddison dévisageait son frère sans comprendre.

— Demetrius m'a téléphoné il y a quelques jours et nous avons eu une longue conversation, très fructueuse. C'est un homme très différent de l'image que j'en avais…

— Mais il n'a cessé, depuis que nous nous connaissons, de me demander où tu te cachais ! s'écria la jeune femme, ne pouvant associer ce qu'elle entendait avec la réalité.

Elle avait fait asseoir son frère dans le salon et s'était installée tout près de lui. Tout allait trop vite pour elle. Le mensonge de Demetrius et le changement qui semblait avoir métamorphosé son frère du tout au tout ; le gamin frondeur s'était transformé en un jeune homme responsable, aux yeux brillant de vie et d'intelligence.

— Il fallait que je te voie, Mad, pour te dire à quel point

je suis désolé pour les ennuis que je t'ai créés. Je me suis conduit de façon stupide, et je m'en veux beaucoup. Mais j'ai décidé de tourner la page, d'avoir une vie tout autre. Quand j'aurai terminé le stage agricole, je vais reprendre des études solides.

À travers un brouillard de larmes, Maddison fixait son frère, bouleversée.

— Tu vas vraiment reprendre tes études ? murmura-t-elle la gorge nouée.

— Absolument. C'est Demetrius lui-même qui m'a fortement conseillé de m'inscrire à la fac et de travailler dur. Il m'a fait comprendre à quel point une formation universitaire était importante dans la vie.

Kyle se leva et regarda sa sœur en souriant.

— Il fallait que je te dise tout cela directement, Mad. Tu comprends ?

Les yeux toujours noyés de larmes, elle se leva et étreignit son frère avec tendresse.

— Oh oui, je comprends, Kyle.

Juste au moment de sortir, Kyle se retourna, fixa sa sœur dans les yeux et murmura d'un ton vibrant :

— Sois heureuse, Mad.

Elle essuya le coin de sa paupière et sourit.

— Oui, Kyle. Je vais essayer.

Kyle n'était pas parti depuis plus d'un quart d'heure lorsqu'elle entendit le bruit de la carte magnétique dans la serrure. Demetrius était de retour.

Il entra, la mine sombre, l'air tendu, posa sa mallette sur un meuble et s'approcha de Maddison, un papier à la main.

C'était un relevé de banque.

La jeune femme crut défaillir.

— Je… je peux tout expliquer, balbutia-t-elle, terrifiée par le regard de Demetrius.

— C'est dans votre intérêt, car ce papier peut vous envoyer directement devant un juge d'instruction.

Elle leva les yeux sur lui, terrifiée.

— Vous n'allez quand même pas envisager une telle démarche ? Ce serait terrible pour moi…

— Je n'hésiterai pas une seconde, gronda-t-il d'un ton menaçant.

— J'ai… j'ai simplement essayé de… de protéger Kyle, bredouilla-t-elle, désespérée. C'était la seule solution pour… pour éviter que… que…

— Une chose est certaine, la coupa Demetrius d'un ton sec, Jeremy Myalls et vous avez préparé une véritable arnaque. Oh, c'était bien manigancé. Mais, voyez-vous, je possède une sorte de sixième sens, et je me méfiais de Jeremy depuis quelque temps. Ce qui m'étonne, c'est que *vous*, vous ayez pu me trahir de la manière la plus vile qui soit.

La jeune femme sentit le sol s'ouvrir sous ses pieds. Le piège monté par Myalls se refermait sur elle.

— Je vous jure que j'avais décidé de reprendre cet argent pour vous le rendre, Demetrius. J'ai même acheté un grand sac où je comptais ranger les billets. Mais on m'a dit, à la banque, que l'argent ne serait disponible que dans quelque temps…

Il la considérait d'un œil froid.

— Et vous pensez sincèrement que je vais vous croire ? marmonna-t-il entre ses dents. Je ne veux plus vous voir, Maddison. Je vous donne une demi-heure pour faire votre valise. Quand je reviendrai, il faut que vous soyez partie. C'est compris ?

Les yeux pleins de larmes, la jeune femme hocha la tête.

Une vingtaine de minutes plus tard, elle quittait l'appartement avec un petit bagage. Elle traversa le hall de l'hôtel d'un pas vif, appela un taxi et expliqua au chauffeur où se trouvait Black Rock Mountain. Puis elle se laissa tomber sur la banquette, les yeux fermés, l'esprit en feu.

Le chauffeur de taxi fut très étonné lorsqu'il découvrit la cabane isolée dans les bois.

— Vous allez vraiment rester là ? interrogea-t-il d'un ton soucieux. Au milieu de nulle part ? Vous êtes bien certaine de…

— Ne vous inquiétez pas pour moi, répondit-elle en lui tendant les trois ou quatre billets correspondant à la course.

Lorsque le taxi eut disparu, elle resta un long moment immobile, se laissant envahir par le chant joyeux des oiseaux.

Elle entra dans la cabane, trouva du petit bois et alluma un feu dans la cheminée.

Elle contempla les flammes qui dansaient dans l'âtre, essayant de rassembler les morceaux éparpillés de sa vie.

Lorsque ses yeux se mirent à papilloter, elle s'allongea devant la cheminée et s'endormit.

Demetrius avait menacé de renvoi tout le personnel travaillant au premier niveau de l'hôtel, exigeant qu'on lui dise dans quelle direction était partie sa femme.

Un chasseur lui expliqua qu'elle avait pris un taxi. Il se souvenait même de la couleur de celui-ci. On parvint à remonter jusqu'à la compagnie, et, par radio, on retrouva le chauffeur qui avait transporté Maddison.

Lorsque Demetrius arriva à la cabane, il découvrit la jeune femme allongée devant la cheminée où des braises finissaient de se consumer.

Il s'installa sur le seul fauteuil du modeste abri et la contempla longuement, avec un amour infini.

Lorsqu'elle ouvrit les yeux, il murmura d'une voix enrouée :

— Pourquoi êtes-vous venue jusqu'ici, Maddison ? Pourquoi cette cabane loin de tout ?

— Je… je ne savais pas où aller…

— Et pourquoi ne m'avez-vous pas expliqué, tout à l'heure, que vous n'êtes pour rien dans la machination inventée par Jeremy pour me dépouiller ? Pourquoi ?

— Vous ne m'en avez pas laissé le temps. Vous étiez tellement furieux…

Il passa une main nerveuse dans ses cheveux et soupira.

— Vous auriez dû me prévenir immédiatement de ce que manigançait Myalls. Cela aurait été bien plus simple…

— J'avais peur de votre réaction ! Et puis j'avais terriblement peur pour Kyle !

— Dès le début de notre aventure, je savais où il se cachait.

— Je le sais. Kyle vient de me l'apprendre. Alors pourquoi avez-vous fait semblant de ne rien savoir ?

Demetrius s'accroupit devant les vestiges du feu et les fixa quelques instants d'un air songeur.

— En fait, j'ai su assez vite que ce n'était pas votre frère qui avait coulé mon yacht. C'est quelqu'un d'autre qui a posé la grenade explosive.

Il la fixa ardemment. Elle fut surprise par la luminosité de son regard dans la pénombre.

— Vous devinez sans doute qui a fait le coup, enchaîna-t-il avec un sourire discret.

— Jeremy Myalls ?

— Oui. Jeremy Myalls.

— Ce que je ne comprends pas, en revanche, c'est pourquoi vous avez tenu à m'épouser quand même.

— Ne pouvez-vous deviner ?

— Ma foi… Vous m'avez parlé, au début, de ce *rideau de fumée*. Et puis il y a votre maîtresse, Elena Tsoulis…

— Je n'ai pas vu Elena une seule fois depuis le jour de notre mariage.

Le cœur de Maddison bondit dans sa poitrine, et il lui sembla qu'un immense poids la quittait.

— Vous ne l'avez pas revue…, répéta-t-elle d'une voix sans relief, comme si elle se parlait à elle-même. C'est… c'est incroyable !

— J'avais d'autres préoccupations, précisa-t-il avec un léger sourire. Des objectifs bien plus importants. Comme, par exemple, l'ambition de conquérir votre cœur, afin que notre mariage dépasse le statut de temporaire pour devenir définitif. J'espérais follement que, un jour, vous puissiez tomber amoureuse de moi…

Maddison, bouleversée, ne savait que répondre.

— Mais… Vous m'avez pourtant bien fait comprendre que notre union n'était que provisoire !

— Au début, c'est ce que je prévoyais, je l'avoue. Pour faire taire certaines rumeurs à mon sujet. Mais la perspective a changé au fur et à mesure que je vous côtoyais. En apprenant à vous connaître, j'ai découvert une femme merveilleuse, une femme comme je n'en avais jamais rencontrée jusqu'alors. Je suis tombé fou amoureux de vous, Maddison, et…

— Mais pourquoi m'avez-vous chassée de l'appartement avec une telle violence ?

— J'étais fou de rage. J'ai pensé un instant que vous aviez imaginé le détournement d'argent dès le début avec Jeremy, pour vous venger. Et cette idée m'a mis hors de moi. J'ignorais que c'était lui et uniquement lui qui avait tout manigancé.

Il prit la main de la jeune femme et la garda dans la sienne, la serrant avec tendresse et passion.

— Et puis j'ai remarqué que vous pleuriez, Maddison. Et cela m'a complètement dérouté. Mais lorsque je suis revenu à l'appartement, après avoir réfléchi, vous étiez déjà partie. Pourquoi pleuriez-vous, Maddison ?

— Parce que je vous aimais, Demetrius. Cela faisait long-temps que je vous aimais…

— Malgré le chantage au mariage ?

— Oui, malgré le chantage et cette haine que j'éprouvais pour vous à cause du renvoi de mon père. La révélation récente, par Myalls, de la vérité concernant mon père m'a libérée. J'ai appris que ce n'était pas mon père qui avait détourné l'argent, mais Myalls.

— Comme à son habitude, commenta-t-il avec un sourire malicieux.

— Comme d'habitude, reprit-elle avec un rire bref. Cet homme est malfaisant.

— Il m'a mené en bateau — si j'ose dire — depuis des années… Mais il va le payer, soyez-en sûre.

Maddison, bouleversée, se tut un instant et fixa les braises dans la cheminée. Elle sourit. Il suffisait de poser une nouvelle bûche pour que le feu reprenne. Il avait suffi que Demetrius lui avoue son amour pour que ses angoisses et ses souffrances disparaissent, faisant place à la lumière.

— Embrasse-moi, Demetrius, murmura-t-elle en tendant ses lèvres.

Ils s'étreignirent avec une tendresse et une passion débor-dantes.

Le souffle court, brûlante de désir, Maddison, tout contre

l'homme qui était maintenant son mari, son mari pour toujours, murmura encore d'une voix hésitante :

— Mais tu devrais être en ville, dans une réunion de travail, au bureau… Enfin, je ne sais où… Des milliardaires comme toi ne peuvent se permettre de batifoler avec n'importe qui au milieu d'une forêt… Les affaires avant tout !

— D'abord, tu n'es pas « n'importe qui », tu es ma femme, la femme de ma vie. Ensuite, ma devise sera maintenant : « Les affaires *après* tout. » Ou plus exactement : « Les affaires *après toi*, mon amour. »

Les larmes aux yeux, tremblante de désir et de bonheur, Maddison se laissa dévêtir par cet homme qui avait su faire éclore en elle la femme amoureuse.

— Tu es ma priorité absolue, chuchota Demetrius, passionné, tandis qu'il l'allongeait doucement sur le tapis.

Le nouveau visage de la collection Or

◆

AMOURS D'AUJOURD'HUI

Afin de mieux exprimer sa modernité et de vous séduire encore davantage, votre collection Or a changé de couverture et de nom depuis le 1er mars 1995.

Rassurez-vous, les romans, eux, ne changent pas, et vous pourrez retrouver dans la collection **Amours d'Aujourd'hui** tous vos auteurs préférés.

Comme chaque mois, en effet, vous y attendent des héros d'aujourd'hui, aux prises avec des passions fortes et des situations difficiles...

COLLECTION
AMOURS D'AUJOURD'HUI :
Quand l'amour guérit des blessures de la vie...

Chère lectrice,

Vous nous êtes fidèle depuis longtemps?
Vous venez de faire notre connaissance?

C'est pour votre plaisir que nous avons
imaginé un rendez-vous chaque mois
avec vos auteurs préférés, vos
AUTEURS VEDETTE dans les
collections Azur et Horizon.

Les AUTEURS VEDETTE vous
donneront rendez-vous pour de
nouveaux livres vedette.

Pour les reconnaître, cherchez
l'étoile... Elle vous guidera!

Éditions Harlequin

HARLEQUIN

LE FORUM DES LECTEURS ET LECTRICES

CHERS(ES) LECTEURS ET LECTRICES,

VOUS NOUS ETES FIDÈLES DEPUIS LONGTEMPS?

VOUS VENEZ DE FAIRE NOTRE CONNAISSANCE?

SI VOUS AVEZ DES COMMENTAIRES, DES CRITIQUES À
FORMULER, DES SUGGESTIONS À OFFRIR, N'HÉSITEZ
PAS... ÉCRIVEZ-NOUS À:
>   LES ENTREPRISES HARLEQUIN LTÉE.
>   498 RUE ODILE
>   FABREVILLE, LAVAL, QUÉBEC.
>   H7R 5X1

C'EST AVEC VOS PRÉCIEUX COMMENTAIRES QUE NOUS
ALLONS POUVOIR MIEUX VOUS SERVIR.

DE PLUS, SI VOUS DÉSIREZ RECEVOIR UNE OU
PLUSIEURS DE VOS SÉRIES HARLEQUIN PRÉFÉRÉE(S)
À VOTRE DOMICILE, NE TARDEZ PAS À CONTACTER LE
SERVICE D'ABONNEMENT; EN APPELANT AU
(514) 875-4444 (RÉGION DE MONTRÉAL) OU 1-800-667-4444
(EXTÉRIEUR DE MONTRÉAL) OU TÉLÉCOPIEUR
(514) 523-4444 OU COURRIER ELECTRONIQUE:
AQCOURRIER@ABONNEMENT.QC.CA OU EN ÉCRIVANT À:
>   ABONNEMENT QUÉBEC
>   525 RUE LOUIS-PASTEUR
>   BOUCHERVILLE, QUÉBEC
>   J4B 8E7

MERCI, À L'AVANCE, DE VOTRE COOPÉRATION.

BONNE LECTURE.

HARLEQUIN.

VOTRE PASSEPORT POUR LE MONDE DE L'AMOUR.

COLLECTION HORIZON

Des histoires d'amour romantiques qui vous mènent au bout du monde!

Découvrez la passion et les vives émotions qu'apportent à la Collection Horizon des auteurs de renommée internationale!

Captivantes, voire irrésistibles, ces histoires d'amour vous iront assurément droit au coeur.

Surveillez nos trois nouveaux titres chaque mois!

GEN-H-R

HARLEQUIN

COLLECTION ROUGE PASSION

- Des héroïnes émancipées.
- Des héros qui savent aimer.
- Des situations modernes et réalistes.
- Des histoires d'amour sensuelles et provocantes.

LAISSEZ-VOUS TENTER
par 3 titres irrésistibles
chaque mois.

RP-1-R

♉ ♊ ♋ ♌ ♍

♋ **L'ASTROLOGIE EN DIRECT**
TOUT AU LONG
DE L'ANNÉE.

(France métropolitaine uniquement)
Par téléphone 08.92.68.41.01
0,34 € la minute (Serveur JET MULTIMÉDIA).

Composé et édité par les
*éditions*Harlequin
Achevé d'imprimer en juin 2006

BUSSIÈRE

GROUPE CPI

à Saint-Amand-Montrond (Cher)
Dépôt légal : juillet 2006
N° d'imprimeur : 61054 — N° d'éditeur : 12165

Imprimé en France